VERSION ORIGINALE 3

Méthode de français | Cahier d'exercices

Laetitia Pancrazi
Stéphanie Templier

Editions Maison des Langues, Paris

Sommaire

Sommaire

Dis-moi ce que tu as fait, je te dirai qui tu es | 1

1. LA LETTRE QU'IL A ÉCRITE

A. Observez les phrases suivantes et soulignez les participes passés. Que remarquez-vous ?

Le CV qu'il a envoyé.

Le document qu'il a joint.

La lettre qu'il a écrite.

La photo qu'il a ajoutée.

Le candidat qu'ils ont interviewé.

La profession qu'il a choisie.

B. Classez les participes passés des verbes de l'activité A dans le tableau selon leur catégorie, masculin ou féminin. Précisez avec quel mot s'accordent les participes passés dans chaque cas.

Verbe	Masculin	Féminin	Accord avec...
envoyer	envoyé		le CV
joindre			
écrire			
ajouter			
interviewer			
choisir			

C. Réécrivez les phrases de l'activité A en remplaçant les mots.

Le CV > La lettre La lettre qu'il a envoyée. ....

Le document > La photo ....

La lettre > Le message ....

La photo > Les photos ....

Le candidat > La candidate ....

La profession > Le métier ....

D. Imaginez le maximum d'actions qu'on peut faire avec les objets suivants.
N'oubliez pas l'accord du participe passé, si nécessaire, et alternez les personnes.

- Une lettre :
  La lettre que vous avez publiée. La lettre que tu as lue.
  ....
- Une profession :
  ....
- Un CV :
  ....

2. ILS ÉTAIENT DÉJÀ ARRIVÉS

A. Lisez les phrases suivantes et relevez les verbes au plus-que-parfait.

1. Quand j'ai pris le métro pour la première fois, j'étais très stressé ; pourtant, je m'étais bien renseigné sur les lignes et les changements.
2. Mes parents se sont rencontrés un jour où ils avaient pris le tramway.
3. J'étais coincée dans les embouteillages sur le chemin de l'aéroport alors que son avion était déjà arrivé !

B. Complétez le tableau suivant avec les formes du plus-que-parfait.

	Prendre	**Arriver**	**Se renseigner**
Je / J'			m'étais renseigné
Tu			
Il / Elle		était arrivé	
Nous			
Vous			
Ils	avaient pris		

3. RÉCIT D'UNE RENCONTRE

A. Complétez le récit de Sophie avec les verbes suivants au plus-que-parfait.

changer | perdre | commencer | s'assoir | se lever | voir (x 2)

J'ai rencontré Cédric dans le métro, c'était en avril. J'.................. mon travail la semaine précédente et .... mes habitudes et mon itinéraire ; avant, je ne prenais jamais cette ligne de métro.

J'.................. un siège libre mais le temps d'y accéder quelqu'un s'.................. déjà .... Cédric a dû voir que j'étais fatiguée et m'a proposé sa place. J'ai refusé, bien sûr, mais il s'.................. déjà .... et insistait beaucoup. Je continuais à refuser, mais il a tellement insisté que j'ai fini par accepter. Ce que nous n'.................. pas ...., c'est que pendant que nous discutions, quelqu'un .... déjà .... la place !

Nous avons beaucoup ri et c'est comme ça que tout a commencé !

B. À votre tour, racontez un souvenir lié à un moyen de transport.

....

....

4. CE MATIN-LÀ...

Piste 01

Écoutez l'enregistrement et marquez les informations secondaires par une ponctuation correcte (parenthèses, virgules ou tirets).

1. Ce matin-là comme tous les matins j'étais dans le métro quand j'ai aperçu cette fille.
2. Elle portait une robe à fleurs avec des motifs un peu asiatiques et un gilet bleu.
   Elle avait aussi un grand porte-document comme les étudiants en arts plastiques et un sac en bandoulière.
3. J'ai voulu la suivre mais elle est descendue à Châtelet en pleine heure de pointe et je l'ai perdue de vue.

5. SOUVENIRS DE VOYAGE

Piste 02

Écoutez le dialogue et dites pour chacun de ces récits de quel pays et de quelle langue on parle, puis quelle expérience marquante y est rattachée.

6. UN NOUVEL EMPLOI

A. Luc a envoyé son CV en réponse à une annonce pour un emploi. Selon son CV, quel emploi recherche t-il ?

Luc MORIN
28 ans
Célibataire

3 rue du Paradis
75012 Paris
Tél. 06.54.67.33.45
luc.morin@version.vo

DIPLÔMES

2009, Master de traduction-interprétation, Université de la Sorbonne nouvelle (Paris III)

2007, Licence LCE d'Anglais, Université Paris-Sorbonne (Paris IV)

2006, Licence de Lettres modernes, Université de la Sorbonne, Paris

EXPÉRIENCES PROFESSIONNELLES

2011 à aujourd'hui : traducteur indépendant (français-espagnol-anglais)

2010 : Stage pour l'Union Européenne.

- Attaché au service de presse - Traduction des dépêches -Interprète lors de conférences ou de rencontres

LANGUES

Français : langue maternelle

Espagnol : niveau C1

Anglais : niveau C1

Piste 03

B. La candidature de Luc a été retenue. Écoutez son entretien avec le chargé du personnel et répondez aux questions suivantes.

1. Comment Luc a-t-il trouvé l'annonce de V.O. S.A. ? ....
2. Quelles études a fait Luc ? ....
3. Où a-t-il fait son stage ? ....
4. Quelles étaient ses fonctions ? ....
5. Quelle condition est exigée pour obtenir le poste ? ....
6. À la fin de l'entretien, obtient-il le poste ? ....
7. Pourquoi doit-il revenir le lundi ? ....

C. À votre tour, rédigez un CV avec vos propres expériences en vous inspirant du modèle.

7. CONTE MODERNE

A. Jérôme raconte la première fois où il a eu le courage de déclarer son amour à Lucie. Placez les verbes au passé composé et à l'imparfait pour reconstituer l'histoire.

ai répété – ai eu – était – ai composé – ressentais – suis décidé – avouais – ai décidé – aimait – répondait – ai répété – disais – ai pris – attendait – ai décroché – ai pu – ai recomposé

Ce matin, j'.................................. de déclarer à Lucie que je l'aime. J'................. pendant une heure devant un miroir : je lui .... enfin mes sentiments, je lui .... tout ce que je .... Elle me .... qu'elle m'................. aussi, qu'elle .... depuis longtemps ce moment-là. C'................. fantastique ! J'................. le téléphone. J'................. le numéro et... Non ! Je n'................. pas ....! J'................. encore pendant deux heures devant le miroir. Et finalement j'......................... le téléphone. J'................. les numéros. 05... 61 ... 14... 55... Du premier au dernier. « Lucie, je t'ai... Vous êtes bien sur la messagerie des Durand... » Comme par hasard, au moment où je me .... enfin, au lieu d'avoir Lucie au téléphone, j'................. sa messagerie !!!

B. Vous rappelez-vous avoir été une fois dans une situation légèrement embarrassante ? Racontez cette anecdote.

....

....

8. FEMMES EN FRANCE

Piste 04

Écoutez le reportage et répondez aux questions suivantes.

1. Quelle question a été posée aux interviewés ?
2. À quoi font-ils référence ? Indiquez quelle est l'idée principale de chaque intervention.
   • l'égalité des sexes • l'élégance à la française • la liberté d'expression

Intervenant 1 :

Intervenant 2 :

Intervenant 3 :

3. Écoutez à nouveau le reportage et notez les chiffres que donne le journaliste.

.... après le droit de vote.
.... après l'égalité des salaires.
.... après la loi sur l'égalité de l'emploi.
.... % des femmes de 25 à 49 ans ont un travail.
.... moyenne d'enfants par femme en France.
.... % des femmes françaises ont un diplôme universitaire.

4. Selon Clara, qui vient d'avoir son deuxième enfant, quel est le paradoxe concernant les femmes en France ?

....

5. Et dans votre pays, quelle est, selon vous, la place des femmes dans la société ?

....

9. COUP DE FOUDRE

A. À partir de ces mots, imaginez une histoire.

rencontre | femme | police | vacances | Portugal | vol | voiture | commissariat

....

....

....

B. Comparez votre version à celle du récit ci-dessous. Attention, complétez les espaces par un marqueur de cause (*comme, puisque, parce que*).

J'ai connu ma femme au poste de police ! Ça peut paraitre invraisemblable mais pourtant c'est vrai. Alors que j'étais en vacances dans le sud du Portugal, on m'a volé tous mes papiers dans la chambre de l'hôtel. Et .... il n'y avait pas de commissariat dans le petit village où je séjournais avec des amis, j'ai pris la voiture pour y aller .... il n'y avait pas d'autres moyens de s'y rendre. À mi-chemin, une patrouille de police m'arrête ! .... je ne savais pas parler la langue, il a fallu que je me débrouille pour faire comprendre à la police mon problème. J'avais beau leur expliquer que je n'avais pas mes papiers .... on me les avait volés, ils ne voulaient rien savoir ! Pour eux, je conduisais un véhicule sans papier et en plus sans permis ! Ils m'ont donc conduit au poste et là, quelle chance ! Il y avait une agent qui parlait français .... elle avait habité en France quand elle était petite et .... elle avait l'air très sympathique, je lui ai proposé de la revoir… Elle a accepté et depuis on ne s'est plus quittés !

10. QUI EST-CE ?

A. Lisez le témoignage de ces deux personnages imaginaires et complétez leur récit avec les pronoms COD qui conviennent.

« Je suis née un jour d'hiver, mais ma mère est morte peu de temps après. Mon père s'est remarié avec une femme qui .... détestait. Heureusement, j'ai trouvé refuge chez les sept nains et j'ai vécu paisiblement avec eux pendant quelque temps. Mais la reine .... a retrouvée et .... a empoisonnée avec une pomme. Heureusement, un prince a pu .... sauver et je .... ai épousé. »

« Nous .... avons trouvée un jour dans notre maison. Elle était seule, poursuivie par sa belle-mère et nous avons accepté de .... cacher. Elle .... aidait beaucoup dans les tâches quotidiennes et est devenue un membre de la famille. Un jour, en rentrant, nous .... avons trouvée par terre inanimée, à côté d'une pomme. On .... avait empoisonnée ! Nous .... avons mise dans un cercueil de cristal et avons beaucoup pleuré. Finalement, un prince est arrivé et a réussi à .... réveiller. »

B. Devinez de quels personnages de contes il s'agit.

....

11. MOI, JE... M'EXPRIME

A. Nuancez vos goûts et vos opinions. Barrez, dans chaque série de verbes, la proposition qui n'a pas le même sens que les autres.

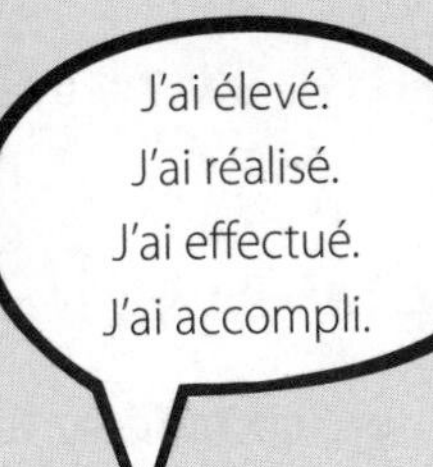

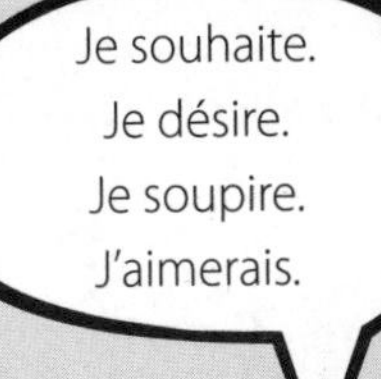

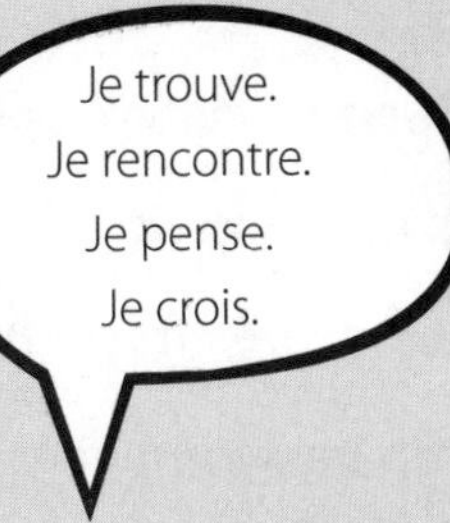

B. Classez les phrases suivantes dans le tableau en fonction de ce qu'elles expriment : des doutes ou des reproches. Puis essayez de trouver une expression similaire dans votre langue.

1. **Tu n'es jamais content !**
2. **Il exagère quand même !**
3. **Ils ont soi-disant un repas de famille justement ce jour-là.**
4. **J'en ai ras le bol de ta mauvaise humeur !**
5. **Apparemment, il ne serait pas disponible.**
6. **Ça m'étonnerait beaucoup qu'il se soit fâché pour si peu.**

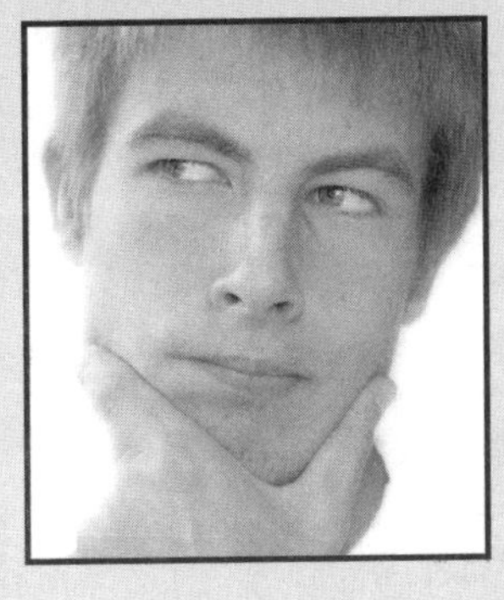

Le doute
Phrase : .... Traduction : ....
Phrase : .... Traduction : ....
Phrase : .... Traduction : ....

Le reproche
Phrase : .... Traduction : ....
Phrase : .... Traduction : ....
Phrase : .... Traduction : ....

12. OPTIMISEZ VOTRE PROFIL !

A. Choisissez un site Internet de réseau social… et rédigez votre profil en français. Attention, il doit être le plus représentatif de qui vous êtes.

- **Vous écrirez donc un petit texte de présentation qui soit à la fois drôle et informatif (ce n'est pas un curriculum vitae !).**
- **Soyez créatif sans donner d'informations trop personnelles ! N'oubliez pas que vous ne savez pas qui peut lire vos informations !**
- **Ajoutez des photos si vous le souhaitez.**

B. Naviguez maintenant sur ce réseau social et retrouvez les autres personnes de la classe. Qui a réalisé la présentation la plus originale ?

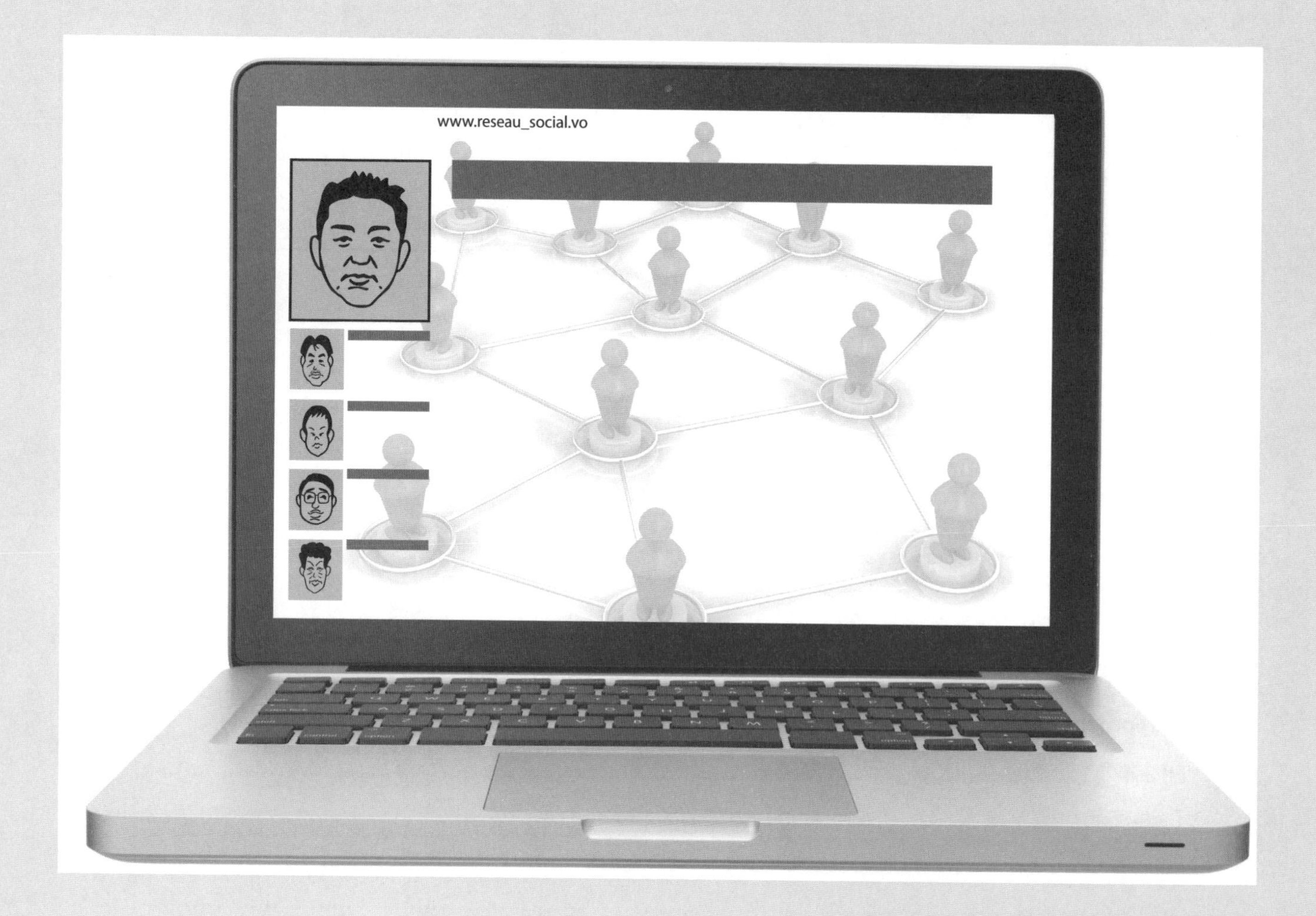

Activités complémentaires en ligne sur versionoriginale.emdl.fr

Les voyages forment la jeunesse | 2

1. QUEL VOYAGEUR ÊTES-VOUS ?

A. Complétez ce questionnaire à l'aide des verbes ci-dessous, puis répondez-y. N'oubliez pas de compter vos points !

organiser | choisir | faire | proposer | ~~partir~~ | opter | écrire

Quel voyageur êtes-vous ?

1. Si vous étiez une destination ?
Si j'étais une destination, je partirais…
- ☐ **a.** dans un pays lointain.
- ☐ **b.** dans un parc d'attraction.
- ☐ **c.** dans ma région.

2. Si vous étiez un type de restauration ?
Si j'……………………………
……………………………
- ☐ **a.** des spécialités internationales.
- ☐ **b.** des spécialités locales.
- ☐ **c.** de la cuisine familiale.

3. Si vous étiez un bagage ?
Si j'……………………………
……………………………
- ☐ **a.** d'être une valise.
- ☐ **b.** d'être un sac à dos.
- ☐ **c.** d'être un sac de sport.

4. Si vous étiez une activité de voyage ?
Si j'……………………………
……………………………
- ☐ **a.** une randonnée.
- ☐ **b.** une visite de musée.
- ☐ **c.** un après-midi à la plage.

5. Si vous étiez un refrain ?
Si j'……………………………
……………………………
- ☐ **a.** « Les voyages forment la jeunesse »
- ☐ **b.** « Qu'on est bien chez soi ! »
- ☐ **c.** « Coquillages et crustacés »

6. Si vous étiez un voyage de rêve ?
Si j'……………………………
……………………………
- ☐ **a.** un road trip à travers les États-Unis.
- ☐ **b.** le chemin de Saint Jacques de Compostelle.
- ☐ **c.** un séjour plage et cocotiers dans les Caraïbes.

7. Si vous étiez un type d'hébergement ?
Si j'……………………………
……………………………
- ☐ **a.** un séjour en hôtel 5 étoiles.
- ☐ **b.** un camping.
- ☐ **c.** un gîte rural.

Résultats :

1. a = 3 points, b = 2 points, c = 1 point
2. a = 1 point, b = 2 points, c = 3 points
3. a = 1 point, b = 3 points, c = 2 points
4. a = 3 points, b = 2 points, c = 1 point
5. a = 3 points, b = 1 point, c = 2 points
6. a = 3 points, b = 2 points, c = 1 point
7. a = 1 point, b = 3 points, c = 2 points

B. Voici les résultats du test. Sur le modèle du premier profil, terminez de rédiger les deux autres profils des voyageurs.

1) Vous obtenez entre 15 et 21 points :
L'aventure, ça vous connait ! Vous êtes toujours prêt/e à renoncer à votre confort pour explorer de nouveaux horizons. Vous vous rêvez en Robinson sur une île déserte ou en explorateur à la découverte de nouveaux mondes. N'oubliez pas que l'aventure est parfois aussi au coin de la rue !

2) Vous obtenez entre 11 et 14 points :
Vous êtes curieux mais prudent…
……………………………
……………………………
……………………………

3) Vous obtenez entre 7 et 10 points :
Vous êtes …
……………………………
……………………………
……………………………

C. Proposez ce test à votre entourage (traduisez-le si nécessaire).

2. AU SOMMET DE L'EVEREST

Savez-vous situer les plus hauts sommets de notre planète ? Cherchez dans quel(s) pays se situent ces différents sommets et quels sont leurs noms.

Hauteur	Il est situé…	Sommets
8 848 mètres	au Népal et en Chine	L'Everest (dans l'Himalaya)
8 611 mètres	.... Pakistan et	....
5 895 mètres	..............Tanzanie	....
5 199 mètres	.... Kenya	....
4 810 mètres	.... France et .... Italie	(.............. les Alpes)
4 165 mètres	.... Maroc	....
6 194 mètres	.... États-Unis	....
5 956 mètres	.... Canada	....
2 942 mètres	.... Andorre	(.............. les Pyrénées)
6 268 mètres	.... Équateur	....

3. ILS SONT PASSÉS PAR ICI…

Kevin et Becky ont acheté une ancienne bergerie dans les Pyrénées pour l'aménager en gîte rural. Ils invitent des voyageurs à venir les aider dans leur projet de rénovation en échange d'un logement et de nourriture. Lisez le message qu'ils ont laissé sur le site www.volontaires.vo et répondez-leur en indiquant vos motivations, vos compétences et vos disponibilités.

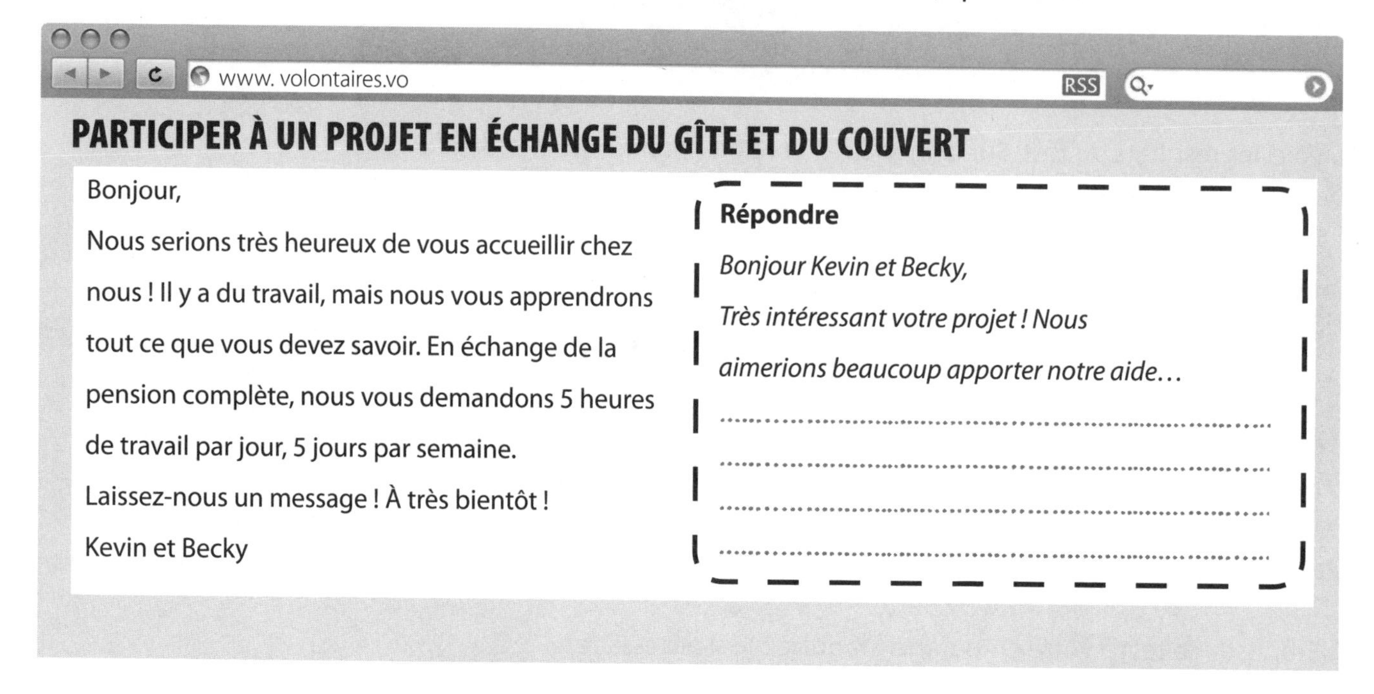

www. volontaires.vo

RSS

PARTICIPER À UN PROJET EN ÉCHANGE DU GÎTE ET DU COUVERT

Bonjour,

Nous serions très heureux de vous accueillir chez nous ! Il y a du travail, mais nous vous apprendrons tout ce que vous devez savoir. En échange de la pension complète, nous vous demandons 5 heures de travail par jour, 5 jours par semaine.

Laissez-nous un message ! À très bientôt !

Kevin et Becky

Répondre

Bonjour Kevin et Becky,

Très intéressant votre projet ! Nous aimerions beaucoup apporter notre aide…

....

....

....

....

4. VISITES INSOLITES

A. L'île de la Réunion n'a pas que la nature à offrir, elle est aussi une explosion de diversité culturelle. Suivez donc le guide.

Piste 05

Écoutez l'enregistrement et complétez ce guide avec les prépositions adéquates.

à | à l'intérieur | à proximité | au centre | dans (x6) | de | derrière | devant | en (x2) | sur (x2) | au (x2)

Le lavoir du port
Nous sommes .... de la rue de Bordeaux, ... la centrale EDF. Ce lavoir a été construit en 1958. À cette époque, il n'y avait pas d'eau courante .... les cases, il n'y avait pas de toilettes .... les maisons, ni de robinet .... la cuisine et la salle de bain. Donc .... de ce quartier qui s'appelait et qui s'appelle toujours « Quartier de l'épuisement », le maire a fait construire ce lavoir.

La mosquée de Saint-Denis
La mosquée Noor-e-Islam est située .... centre-ville. .... la porte, il y a beaucoup de chaussures car il faut se déchausser. C'est la plus ancienne mosquée située .... un département français.

Le temple de Mafate
Ici, nous entrons .... l'espace sacré nommé Arsha vidya ashram. ...., assis .... le sol, un homme explique aux enfants : .... Inde, se trouvent des livres sacrés qu'on appelle les « vedas ». En sanskrit, « véda » ça veut dire « le savoir ».

Le cimetière de Zékli
Ce cimetière a été créé en 1899 lors d'une épidémie de peste introduite .... l'île par un bateau venant .... Chine. On enterrait les morts par centaine .... une fosse commune.

Le marché de nuit
Pour finir cette visite, la ville de Saint-Denis vous invite ....Marché de Nuit. On se laisse guider au gré des fleurs, des senteurs et des lumières ! On y trouve aussi des produits artisanaux fabriqués .... Afrique du Sud et .... Madagascar.

B. Si vous deviez visiter l'un de ces sites, lequel choisiriez-vous ? Lequel ne choisiriez-vous pas ?

Personnellement je serais très malheureux/je ne serais pas content si... ....

Personnellement je serais très heureux si... ....

....

....

....

....

5. VIVRE À MAFATE

A. Retrouvez les verbes et conjuguez-les aux temps qui conviennent (imparfait ou conditionnel).

être | vivre | décider | adopter | être | apprendre | devoir | risquer | ne pas aimer | s'adapter | pouvoir | vouloir | faire | falloir

Le cirque de Mafate, c'est un somptueux décor de randonnée. Situé à l'intérieur de l'île de la Réunion, on n'y trouve ni route, ni voiture. Juste des chemins de randonnées. On se demande comment les habitants peuvent vivre une existence qui semble si paisible. On les envie, puis on réfléchit et l'on se demande : Si on .... de vivre là, comme eux, apparemment loin de tout, est-ce que ça .... si facile ? Qu'en pensez-vous ?

- Si j'.............................. ce mode de vie, ce ne .... pas facile parce je .... renoncer au tumulte de la ville. Mais j'.. à me contenter de ce que m'offre mon environnement. En un mot, je..............................

- Si je .... du tourisme, je .... attention de protéger ma vie privée parce que je .... devenir une habitante « pittoresque ».

- Je pense qu'il .... faire face à certains paradoxes, par exemple si on .... développer notre niveau de vie ou aménager notre territoire, on ....de perdre notre identité propre. Le développement du tourisme, nécessaire pour notre survie économique, ... constituer un danger pour notre liberté.

B. Si vous deviez vivre dans un endroit similaire, très isolé, qu'est-ce qui serait difficile pour vous ? Et à l'inverse, qu'est-ce qui vous épanouirait ?

Si je ....

....

....

....

....

....

....

....

6. LE TOUR DU MONDE EN VÉLO

Piste 06

A. Sylvain et Stéphane ont fait le tour du monde en vélo en trois ans. Sylvain raconte l'origine du projet au cours d'une diapos-conférence. Écoutez-le et retrouvez la prise de notes qui correspond à la conférence que vous avez entendue.

B. Sylvain serait-il prêt à repartir ? Pourquoi ?

C. Et vous, avec qui aimeriez-vous faire un tour du monde ? Quel serait votre voyage idéal ? Si vous en avez la possibilité, enregistrez-vous et remettez le fichier à votre professeur.

....

....

....

....

....

7. SI ROME M'ÉTAIT CONTÉE…

Piste 07

A. Écoutez et mettez la ponctuation.

- Si tu savais combien je suis heureuse de découvrir l'Océanie
- Si je n'obtenais pas mon visa pour Téhéran cet automne j'essaierais de partir au printemps prochain
- Si je devais partir pour une année j'aimerais autant rester en Europe

B. Réécoutez et dessinez les courbes intonatives comme on vous l'explique dans l'activité 6 p. 30 du *Livre de l'élève*.

C. ENREGISTREZ-VOUS et présentez le fichier à votre professeur.

8. LES ROUTARDS

A. Complétez le message laissé sur voyageforum.com.

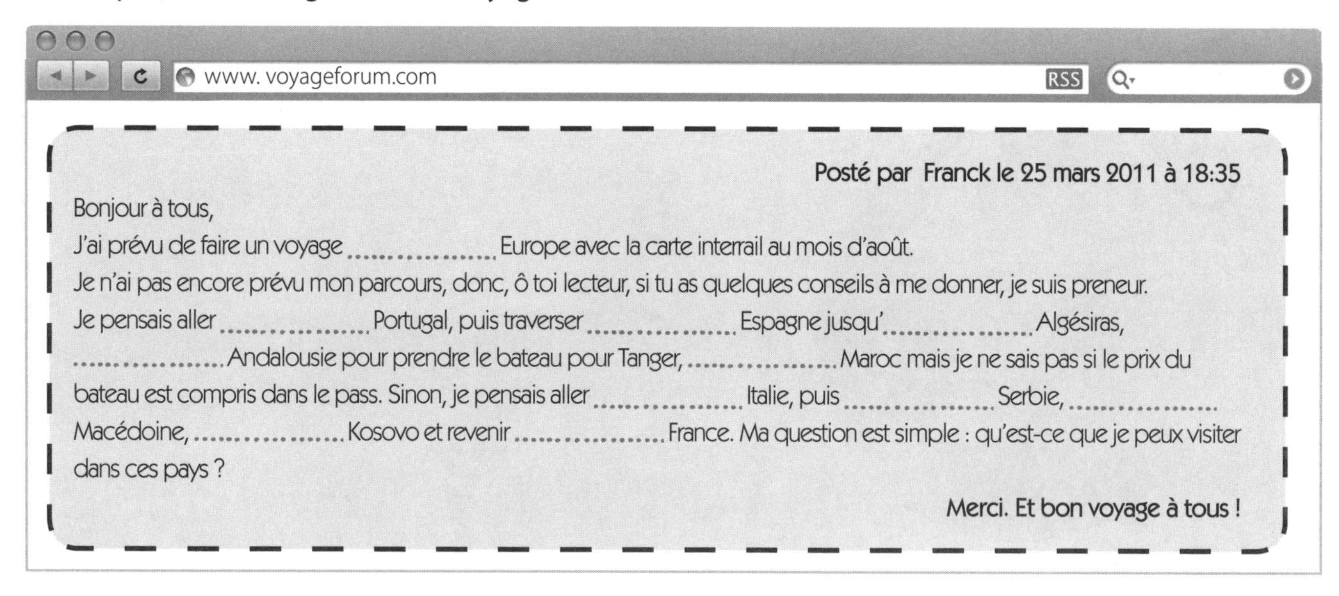

www. voyageforum.com

Posté par Franck le 25 mars 2011 à 18:35

Bonjour à tous,

J'ai prévu de faire un voyage .... Europe avec la carte interrail au mois d'août.

Je n'ai pas encore prévu mon parcours, donc, ô toi lecteur, si tu as quelques conseils à me donner, je suis preneur.

Je pensais aller .... Portugal, puis traverser .... Espagne jusqu'................ Algésiras, ... Andalousie pour prendre le bateau pour Tanger, ... Maroc mais je ne sais pas si le prix du bateau est compris dans le pass. Sinon, je pensais aller .... Italie, puis .... Serbie, ... Macédoine, ... Kosovo et revenir .... France. Ma question est simple : qu'est-ce que je peux visiter dans ces pays ?

Merci. Et bon voyage à tous !

B. Répondez à la question de cet internaute en lui indiquant ce qu'il pourrait visiter. Faites part de vos expériences si vous en avez.

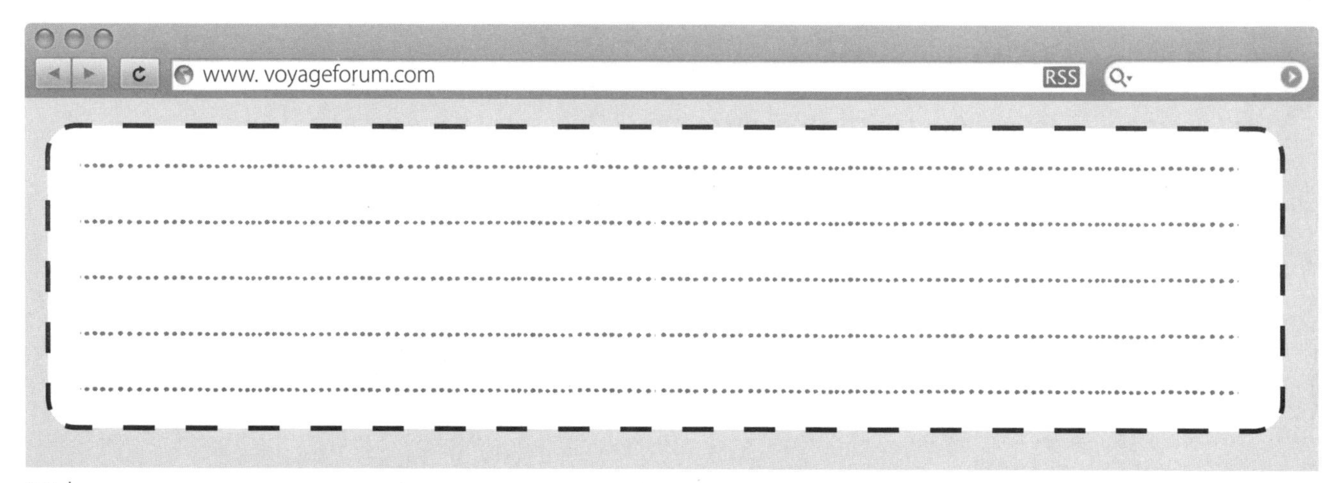

9. VOUS AVEZ DIT ?

Expliquez le sens de ces mots, que vous avez rencontrés dans l'unité et proposez-en une traduction.

- un gîte rural :

....

....

- un séjour :

....

....

- un sentier :

....

....

- une randonnée :

....

....

- le grand air (« la vie au grand air ») :

....

....

- au gré de (« On se laisse guider au gré des fleurs, des senteurs et des lumières. ») :

....

....

10. AU CAMPING

Placez les expressions suivantes dans le texte.

des emplacements | l'eau chaude | sable fin | le confort | dans un cadre | l'endroit | rêve

Situé .... de verdure exceptionnel, à 200 m de la dune du Pyla et à 300 m d'une plage de ....
Le camping Pylamar est .... idéal pour passer des vacances de ....
Ce camping de 3 hectares vous offre tout .... d'un 3 étoiles avec .... de 100 m² et de .... à volonté.

11. LA NOUVELLE ODYSSÉE

A. Vous allez participer à l'écriture collective d'une nouvelle *Odyssée*. Un récit est en cours d'écriture sur le web 2.0, il raconte le grand voyage d'un personnage à qui il arrive des aventures diverses dans les lieux qu'il visite.
Vous pouvez rédiger un des épisodes en faisant venir le personnage dans votre ville ou un autre lieu que vous connaissez bien.

B. Lisez le début de *La Nouvelle Odyssée*. Vous pouvez aussi lire quelques aventures du personnage pour mieux écrire votre épisode.

C. Formez des groupes de 3 à 4 personnes et choisissez un lieu que vous connaissez bien et où vous voulez conduire le personnage. Imaginez :
• ce que le personnage pourrait visiter dans ce lieu,
• ce qu'il pourrait y faire comme activités,
• qui il pourrait rencontrer,
• ce qui pourrait lui arriver.

D. Écrivez l'épisode à la première personne du singulier.

Remarques et notes techniques :

Pour lire l'histoire, cliquez, dans la colonne de gauche, sur « La Nouvelle Odyssée » dans le widget « **LEER|LIRE|LEGGERE** ».
Pour écrire, connectez-vous et cliquez, dans la colonne de gauche, sur « La Nouvelle Odyssée » dans le widget « **ESCRIBIR|ECRIRE|SCRIVERE** ».
Ajoutez votre texte en bas du texte que vous trouverez déjà et soumettez-le à relecture.
N'effacez pas le texte des Babelwébiens qui ont participé avant vous. En revanche, vous pouvez le modifier si vous le souhaitez.

http://m4.babel-web.eu

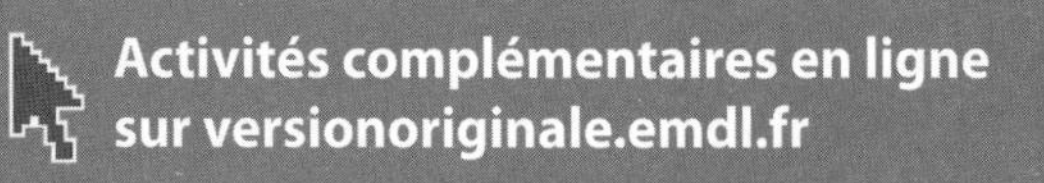

Activités complémentaires en ligne sur versionoriginale.emdl.fr

La voix est le miroir de l'âme | 3

1. JOUEZ AVEC LES SENTIMENTS

A. Retrouvez les mots exprimant des sentiments cachés grâce aux définitions et placez-les dans la grille.

1. Impression désagréable, embarras : la gêne
2. Sentiment de peine, de mélancolie : la t_ _ _ _ _ _ _ _
3. État d'étonnement : la s_ _ _ _ _ _ _
4. Sentiment éprouvé par la menace d'un danger : la p_ _ _
5. État où l'on se sent heureux : le b_ _ _ _ _ _
6. Manifestation d'un grand mécontentement : la c_ _ _ _ _
7. État de nervosité causée par une situation tendue : le s_ _ _ _ _

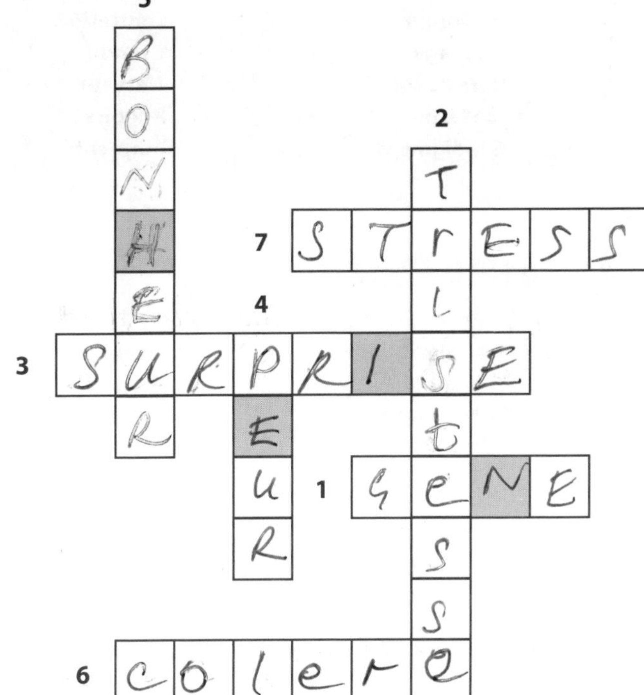

B. À l'aide des lettres des cases grisées, découvrez le sentiment caché ci-dessous.

H	A	I	N	E

C. En prenant exemple sur les définitions de l'activité A, rédigez maintenant la définition du mot trouvé dans l'activité B. Aidez-vous du dictionnaire si nécessaire.

l'État d'être en colère et avoir la rage contre quelqu'un

2. SENTIMENTALEMENT VÔTRE

A. À l'aide des sentiments découverts dans l'activité 1, donnez un titre à chaque bulle.

B. Complétez les phrases avec les mots qui se trouvent à l'intérieur des bulles.

1. Quand le dinosaure est entré dans Paris, ça a été l'.................... général.
2. Avant de monter sur scène, j'ai toujours le ....
3. Je n'aime pas croiser mon voisin. Il est très nerveux et ça me rend ....
4. Il a reçu une lettre anonyme, ça l'....................
5. Il se .... rarement mais quand il est en colère, ce n'est pas beau à voir !
6. Je hais le dimanche soir. Ça me donne le ....
7. Le conducteur du bus a fermé la porte juste devant mon nez. Il m'a souri et il a démarré. J'étais ....
8. Tu as l'air .... de ce que je te dis. Tu ne t'y attendais pas ?
9. Il s'est mal comporté au début de l'année et il pense que le professeur l'....................
10. Je me .... pour mon fils, il vient de réussir son examen !

3. DIS-MOI CE QUE TU PORTES...

A. Regardez dans la valise et attribuez les costumes et accessoires à chaque personnage.

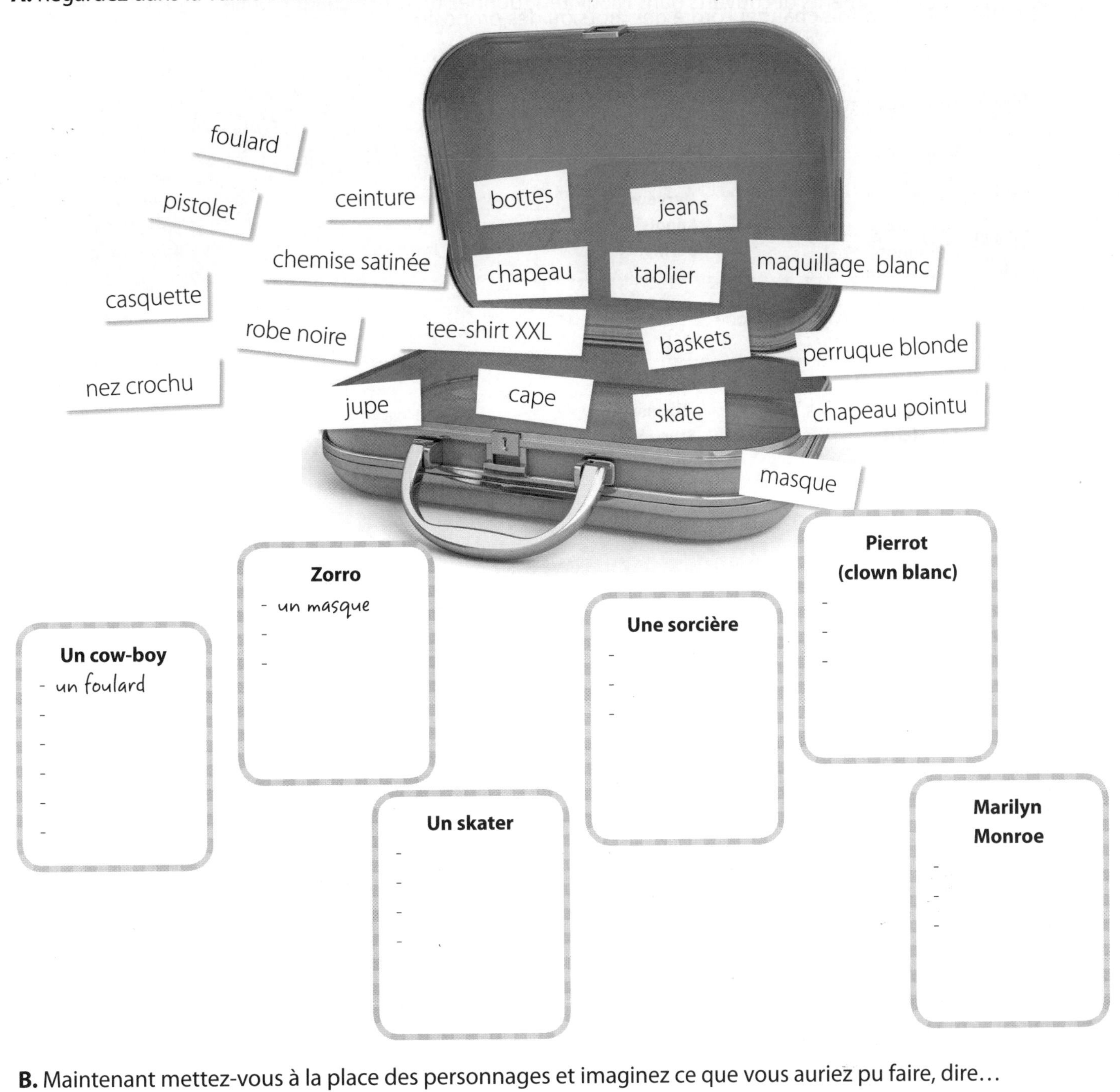

B. Maintenant mettez-vous à la place des personnages et imaginez ce que vous auriez pu faire, dire…

Si j'avais été Monroe... ....

Si j'avais été Pierrot... ....

Si j'avais été Zorro... ....

....

....

4. CHACUN SON RÔLE

A. Transformez les phrases en remplaçant les adjectifs par les adverbes correspondants. Attention, il faut parfois changer l'ordre des mots ou des prépositions !

1. Il sait de manière intuitive comment jouer cette scène. Il communique avec facilité.
   Il sait intituivement comment jouer cette scène. Il communique facilement.
2. Il surveille de manière attentive le travail des acteurs. Il demande de manière régulière qu'on refasse la scène.
   ....
3. Il est impliqué de façon économique dans le projet.
   ....
4. Ils interviennent sur la partie technique de l'œuvre.
   ....
5. Il habille avec créativité les personnages de la pièce.
   ....
6. Il souffle le texte de manière discrète quand les acteurs ont un trou de mémoire.
   ....
7. Il reconstruit avec des détails méticuleux l'univers visuel de la pièce.
   ....
8. Il redessine de manière très précise les expressions du visage.
   ....

B. Retrouvez la fonction de chaque personne au sein de ce théâtre.

l'acteur	1	le producteur	
le costumier		le metteur en scène	
le maquilleur		le décorateur	
le souffleur		les techniciens	

Piste 08

C. Écoutez maintenant cet entretien avec Enzo Tartuffo, écrivain et metteur en scène qui parle de sa dernière pièce et répondez aux questions.

Dites quels sont les sentiments qui, selon vous, lient les deux frères.

....

Quels sont les regrets exprimés par le metteur en scène ?

....

Quel décor suggère la didascalie lue par le journaliste ?

....

5. LE RÔLE DE SA VIE

A. Un acteur de théâtre parle du nouveau rôle qu'il interprète. Écoutez l'entretien radiophonique et répondez aux questions.

Piste 09

1. La pièce dont il s'agit est :
   - [ ] Un drame
   - [ ] Une tragédie
   - [ ] Une comédie
   - [ ] Une farce

2. Prenez des notes : remplissez chaque brouillon en fonction des thèmes demandés.

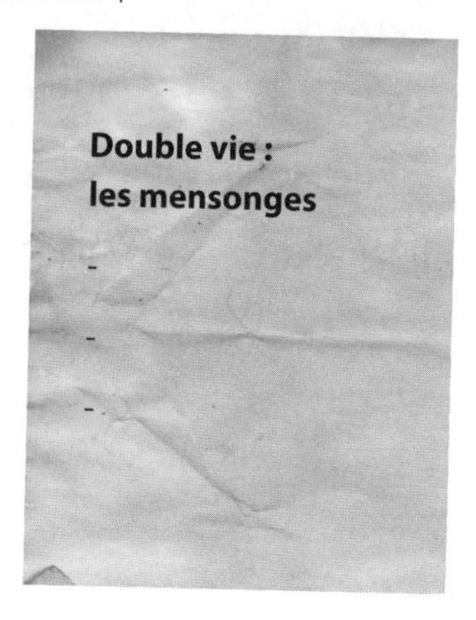

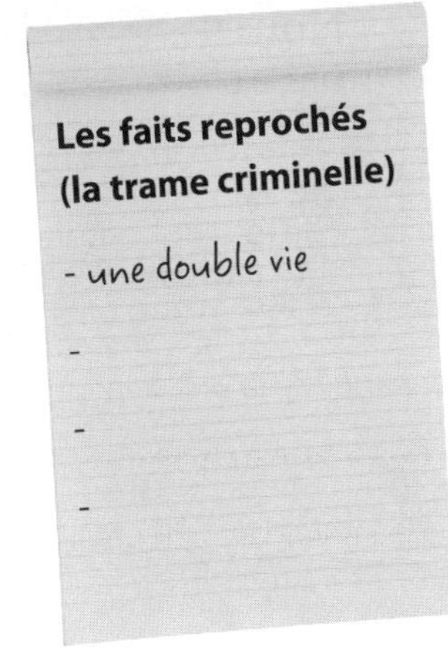

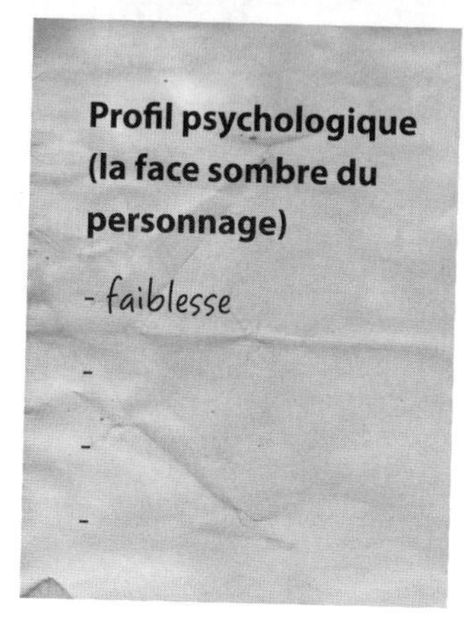

B. Imaginez le destin de cet homme…

1. S'il avait passé son diplôme de médecine, il n'aurait pas commencé à mentir.
2. S'il avait avoué à sa femme qu'il n'était pas médecin, …

   ……………………………………………………………………………………

3. Si sa famille ne lui avait pas confié de l'argent,…

   ……………………………………………………………………………………

4. Si son meilleur ami avait découvert qu'il n'était pas médecin,…

   ……………………………………………………………………………………

6. À SA PLACE

En fin de matinée, Patrick Boireau se rend dans un hypermarché. Il se dirige vers un distributeur de billets pour retirer de l'argent ; il n'y avait personne devant lui, alors il s'approche du distributeur et s'aperçoit qu'il y a 200 euros sur la tablette du distributeur. Il prend les billets et, assez discrètement, il s'en va sans rien dire. En rentrant chez lui, il est pris de remords et il se dit qu'il aurait dû rapporter les billets à la banque. Qu'auriez-vous fait à sa place ?

……………………………………………………………………………………

……………………………………………………………………………………

……………………………………………………………………………………

……………………………………………………………………………………

……………………………………………………………………………………

7. BONNE ANNÉE !

Vous avez reçu une carte de vœux pour la nouvelle année mais, avec la neige, une partie a été effacée. Complétez-la pour pouvoir la lire.

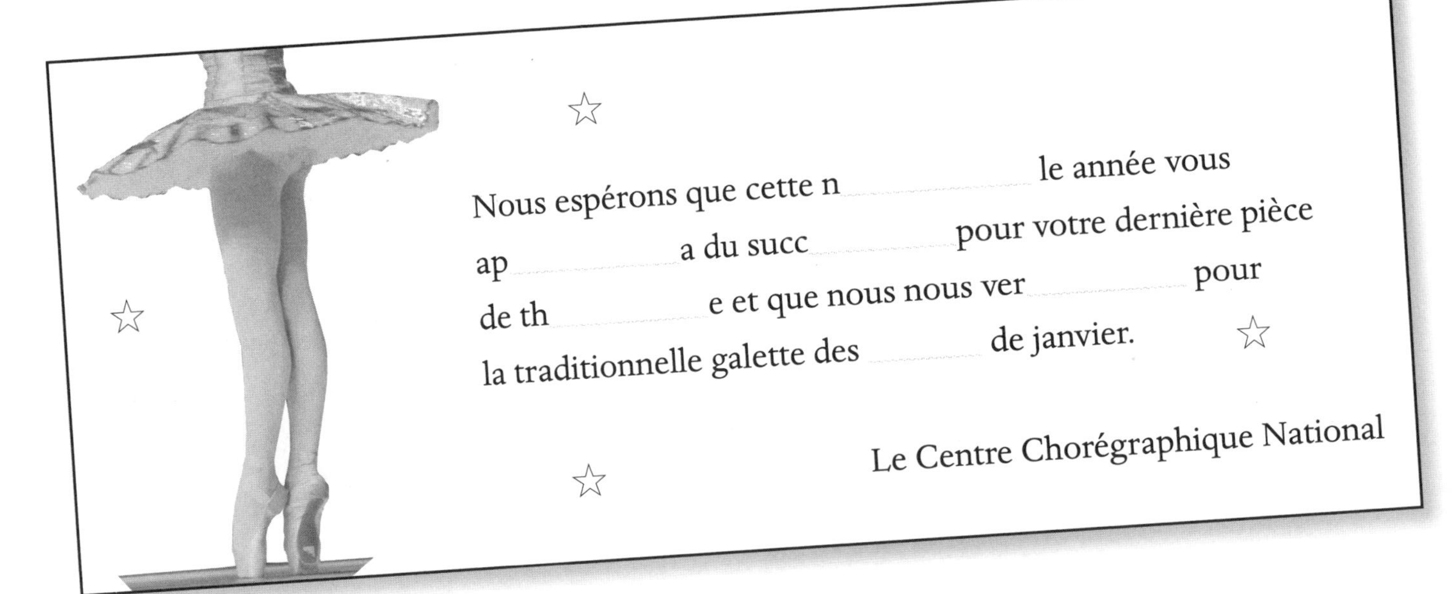

Nous espérons que cette n__________le année vous ap__________ a du succ__________ pour votre dernière pièce de th__________e et que nous nous ver__________ pour la traditionnelle galette des __________ de janvier.

Le Centre Chorégraphique National

8. VARIATION SUR UN MÊME THÈME

Piste 10

A. Bien qu'identiques, ces énoncés prennent un sens différent en fonction de leur intonation. Écoutez et notez le numéro de la phrase en fonction de ce qu'elle exprime.

1

La personne est fâchée.	La personne est étonnée.

2

La personne est intéressée.	La personne n'est pas vraiment intéressée.

3

La personne est pleine d'espoir.	La personne est déçue.

4

La personne est triste.	La personne est amoureuse.

B. ENREGISTREZ-VOUS ! À votre tour, prononcez ces phrases en jouant tour à tour les deux sentiments et remettez le fichier à votre professeur.

9. À FLEUR DE PEAU

Retrouvez le sens de ces expressions familières en associant les deux colonnes à l'aide d'une flèche. Vous pouvez utiliser Internet ou un dictionnaire si nécessaire.

1. Il flippe.	A. Il est étonné.
2. Il est zen.	B. Il se réjouit.
3. Il n'est pas commode.	C. Il est un peu triste.
4. Ça barde pour lui.	D. Il passe un mauvais moment.
5. Il n'en revient pas.	E. Il est tranquille.
6. Il est trop content.	F. Il a mauvais caractère.
7. Il a le cafard.	G. Il a peur.

10. EXERCICE DE STYLE

A. Constituez des adverbes à partir des adjectifs suivants.

Honteux : ....

Violent : ....

Doux : ....

B. Voici un texte rédigé de façon neutre. Réécrivez-le en lui donnant le ton de l'une des humeurs suivantes : violent, doux ou honteux. Vous essaierez d'être le plus expressif possible.

« Un homme rentre chez lui. Il met la clé dans la serrure. La porte ne s'ouvre pas. L'homme insiste. Un voisin sort de chez lui pour expliquer que la serrure a été changée le matin. L'homme s'en va. »

....

....

....

C. Imaginez le dialogue entre l'homme et le voisin pour une pièce de théâtre. Vous garderez le ton que vous avez choisi (violent, doux ou honteux).

....

....

....

D. Jouez à voix haute (si c'est possible devant un public) toutes les variations de la scène pour vérifier si vos textes fonctionnent bien. Vous pouvez aussi vous enregistrer.

11. DEMANDEZ LE PROGRAMME !

Consultez les moteurs de recherche pour trouver de la documentation sur les spectacles qui sont proposés dans votre ville.
Consultez les différents théâtres, salles de concerts, les programmations de festivals et cinémas. Vous en sélectionnerez deux pour créer un programme culturel.

Si vous pouvez, imprimez et collez les photos des spectacles sélectionnés et écrivez un descriptif pour chacun. N'oubliez pas la date et l'heure du spectacle et éventuellement le prix.

PROGRAMME CULTUREL

IMAGE SPECTACLE	IMAGE SPECTACLE
....	....
....	....
....	....
....	....
....	....
Du .... au	Du .... au ....

On n'arrête pas le progrès ? | 4

1. QUE J'APPRENNE LE SUBJONCTIF ?

A. Sur le modèle du verbe *tenir* (page 56 du *Livre de l'élève*), complétez le tableau suivant.

Tenir		Dire	
Présent de l'indicatif	**Présent du subjonctif**	**Présent de l'indicatif**	**Présent du subjonctif**
Ils/elles tiennent ↗	Que je tienn**e** Que tu tienn**es** Qu'il/elle/on tienn**e** Que nous ten**ions** Que vous ten**iez** Qu'ils/elles tienn**ent**	Ils/elles .... ↗	Que je .... Que tu .... Qu'il/elle/on .... Que nous .... Que vous .... Qu'ils/elles ....

B. En procédant de la même façon, conjuguez les verbes suivants.

comprendre | finir | parler | venir

C. Connaissez-vous les verbes irréguliers ? Après avoir relu les pages 55 et 56 du *Livre de l'élève*, récapitulez dans ce tableau, vos connaissances.

Avoir	Être	Pouvoir	Aller	Faire
Que j'aie	Que je sois	Que je puisse	Que j'aille	Que je fasse
Que tu	Que tu sois	Que tu	Que tu	Que tu ....
Qu'il/elle/on	Qu'il/elle/on....................	Qu'il/elle/on....................	Qu'il/elle/on	Qu'il/elle/on ....
Que nous	Que nous....................	Que nous....................	Que nous	Que nous ....
Que vous	Que vous soyez	Que vous....................	Que vous	Que vous ....
Qu'ils/elles	Qu'ils/elles	Qu'ils/elles	Qu'ils/elles	Qu'ils/elles ....

D. Maintenant, écrivez des phrases pour utiliser les verbes que vous venez de conjuguer.

Je ne crois pas que ....

Je ne pense pas qu'..

Je n'admets pas que ....

Nous ne supportons pas que ....

2. COURRIER DES LECTEURS

Dans la rubrique « courrier des lecteurs » d'un célèbre magazine culturel, Patrice répond au courrier de Nadia. Pour compléter cette lettre, choisissez parmi les formes proposées des verbes *avoir, être, pouvoir* et *devoir.*

Chère Nadia,
Je ne pense pas que votre opinion concernant la télévision publique **est / soit** *pertinente. Vous dites que les programmes* **sont / soient** *violents et dangereux pour notre jeunesse. Vous pensez que la télévision* **doit / doive** *être soumise à un contrôle systématique de la part des pouvoirs publics, pour contrôler cette violence.*
Je pense au contraire que la télévision **est / soit** *un moyen intéressant d'information et de divertissement. Je crois que chacun* **peut / puisse** *faire des choix en fonction de ses intérêts. Je ne trouve pas nécessaire que les services publics* **ont / aient** *à intervenir dans le choix des spectateurs. En effet, je n'admets pas que les futures générations* **peuvent / puissent** *perdre leur esprit critique et leur pouvoir de décider pour eux-mêmes.*
D'autre part, il existe déjà un organisme public qui contrôle la diffusion audiovisuelle, c'est le CSA [...] Pour ma part je trouve cette surveillance **est / soit** *amplement suffisante.*

Patrice, Neug-sur-Beuvron

3. DROIT DE RÉPONSE

Piste 11

A. Reconnaissez-vous le sujet du débat ? Écoutez et déterminez le thème principal pour chacun des dialogues. Commencez à remplir le tableau ci-dessous.

B. Pour chacun des sujets, répondez en donnant votre opinion. ENREGISTREZ-VOUS et donnez le document à votre professeur.

Dialogue	Sujet du débat	Opinion personnelle
1		
2		
3		
4		

4. ESPRIT DE CONTRADICTION !

A. Connaissez-vous l'émission de radio *Le téléphone sonne* sur France Inter ? L'animateur invite les auditeurs à réagir sur un thème d'actualité, en compagnie d'invités à qui ils peuvent aussi poser des questions. Écoutez-vous ce genre d'émissions à la radio ?

B. Lisez le thème de la prochaine émission. Utilisez le formulaire suivant pour poser vos questions aux invités ou écrire votre témoignage pour intervenir pendant l'émission.

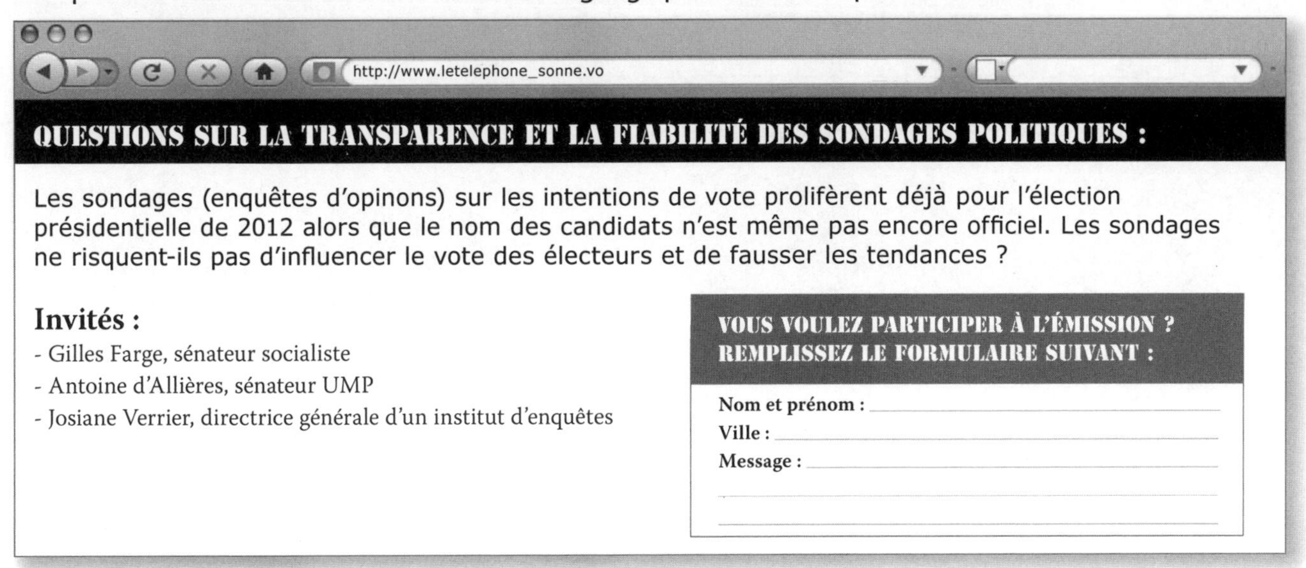
http://www.letelephone_sonne.vo

QUESTIONS SUR LA TRANSPARENCE ET LA FIABILITÉ DES SONDAGES POLITIQUES :

Les sondages (enquêtes d'opinons) sur les intentions de vote prolifèrent déjà pour l'élection présidentielle de 2012 alors que le nom des candidats n'est même pas encore officiel. Les sondages ne risquent-ils pas d'influencer le vote des électeurs et de fausser les tendances ?

Invités :
- Gilles Farge, sénateur socialiste
- Antoine d'Allières, sénateur UMP
- Josiane Verrier, directrice générale d'un institut d'enquêtes

VOUS VOULEZ PARTICIPER À L'ÉMISSION ? REMPLISSEZ LE FORMULAIRE SUIVANT :

Nom et prénom : ……………
Ville : ……………
Message : ……………

C. Certains auditeurs ont donné leur avis sur cette émission, mais votre esprit de contradiction vous fait dire systématiquement le contraire de ces opinions en utilisant le présent de l'indicatif ou le présent du subjonctif.

1. Je pense que cette émission est d'utilité publique.

Je ne pense pas que cette émission soit d'utilité publique.

2. Je trouve qu'il est utile de polémiquer sur les grandes questions de notre société.

……………………………………………………………………………………

3. Je ne crois pas que ce soit une bonne idée de faire participer les auditeurs.

……………………………………………………………………………………

4. Je pense que cette émission fait semblant de donner la parole aux auditeurs.

……………………………………………………………………………………

5. Je n'imagine pas que cette émission puisse intéresser les auditeurs.

……………………………………………………………………………………

6. Je ne pense pas que les auditeurs aient assez de temps pour parler.

……………………………………………………………………………………

7. Je trouve que le présentateur comprend parfaitement les problèmes de notre société.

……………………………………………………………………………………

5. POUR OU CONTRE ?

Piste 12

A. Écoutez les différentes personnes et notez dans le tableau s'ils sont pour ou contre l'interdiction des voitures en centre-ville.

	1	2	3	4	5	6	7	8
Pour								
Contre								

Piste 12

B. Écoutez une deuxième fois et notez quelques arguments.

Quelle est l'opinion la plus mesurée ?

....

Quelle est votre opinion ?

....

....

6. ÊTES-VOUS D'ACCORD ?

Piste 13

Écoutez et dites dans quels dialogues vous trouvez ces différentes réactions.

	Dialogue n°…
Acceptation enthousiaste	
Acceptation neutre	
Ironie	
Opposition ferme	

7. LES DÉCHETS MÉNAGERS

A. Selon vous, qu'est-ce qu'un déchet ? Écrivez une définition et donnez des exemples.

....

....

Piste 14

B. Écoutez cet expert en déchets ménagers et prenez des notes pour compléter votre définition.

Quels sont les deux grands types de déchets qu'il distingue ?

....

Quelle image utilise-t-il pour faire comprendre la dimension des déchets ?

....

C. Et vous, triez-vous les ordures chez vous ? Expliquez comment on procède dans votre ville ou dans votre pays.

....

....

....

8. RECYCLAGE DES DÉCHETS

Voici un extrait d'un débat sur le recyclage des déchets. Remettez d'abord dans l'ordre les interventions puis complétez-les à l'aide des expressions suivantes pour expliciter les tours de paroles.

Qu'en pensez-vous | Non, je ne suis pas d'accord avec vous, | Excusez-moi mais | Vous permettez ? | J'ajoute qu'

Maya (1)
Bonjour,
Depuis quelques années, en France, nous suivons une politique de recyclage des déchets. On peut se demander si les contraintes qui nous sont imposées (multiplication des poubelles, tri, calendrier de sortie des poubelles suivant leur contenu, etc.) ont un intérêt mesurable en terme économique, écologique ou environnemental. ....?

Cheriffa ( )
- ....je pense surtout que ça dépend des municipalités locales : dans certaines villes, tout est mis en place pour que ça marche et il y a une politique d'accompagnement en faveur du recyclage.

Alex ( )
- ....d'un point de vue économique, je ne crois pas que le recyclage des déchets soit une bonne chose, parce que cela coûte plus cher que l'incinération des ordures. C'est donc d'un point de vue environnemental qu'on se place pour favoriser le tri sélectif.

Cheriffa ( )
- ....à l'inverse, dans d'autres villes, rien n'est fait pour et les résultats apparaissent négatifs.

Julien ( )
- ....je ne trouve pas que ces « contraintes » soient très compliquées ! Trier les déchets n'occupe pas une place très importante dans notre agenda de la journée et pourtant peu de personnes le font !

9. DÉBAT POLITIQUE À LA TÉLÉVISION

A. Retrouvez les nuances de sens des connecteurs en traçant des flèches entre les deux colonnes du tableau. Puis complétez le tableau avec d'autres connecteurs.

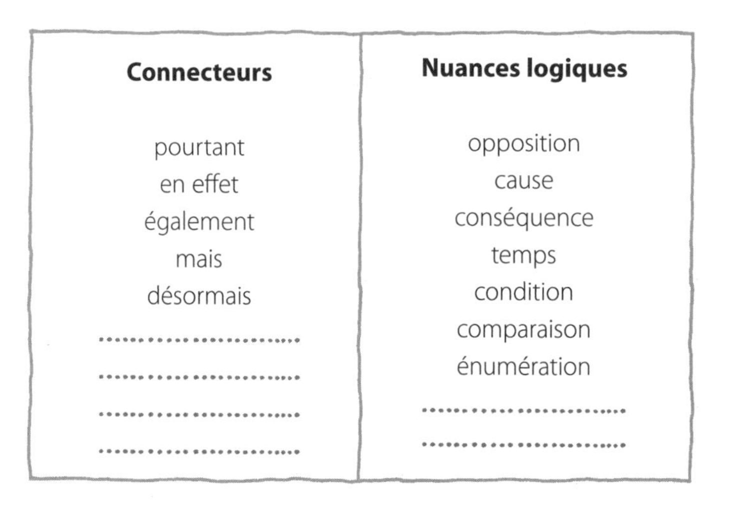

Connecteurs	Nuances logiques
pourtant	opposition
en effet	cause
également	conséquence
mais	temps
désormais	condition
....	comparaison
....	énumération
....	....
....	....

B. Reconstituez ce résumé en reliant les six phrases entre elles à l'aide des connecteurs pour obtenir un énoncé logique.

Également | Pourtant | En effet | Mais | Désormais

N° 1 : Le débat politique est en vogue à la télévision.

N°..... : Le présentateur joue .... un autre rôle.

N°..... : .... , on assiste à l'émergence de nouvelles émissions, toutes centrées sur des rendez-vous politiques.

N°..... : .... , la crainte des débordements sur les plateaux de télévision est de plus en plus forte.

N°..... : .... , le face à face de personnalités politiques a presque disparu.

N°..... : .... , c'est le débat entre politicien et public qui prime.

10. ENSEMBLE

A. Regardez les intitulés des bulles et placez les verbes suivants dans les ensembles adéquats.

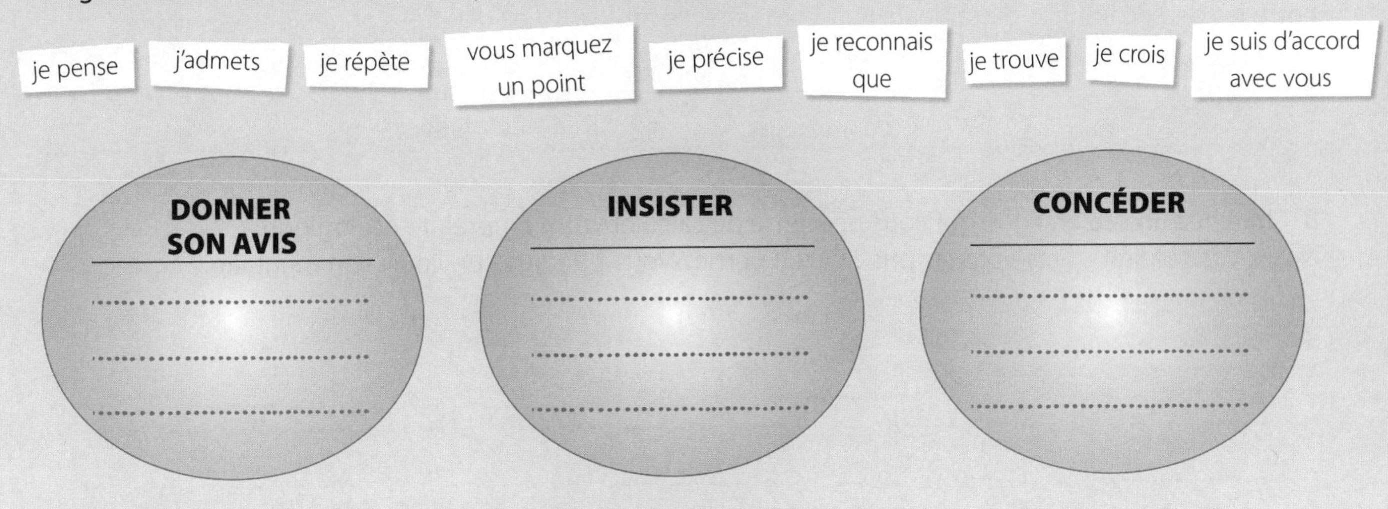

B. Complétez les ensembles à l'aide du vocabulaire de l'unité.

11. ÉCOLO

A. Entourez tous les mots liés au champ sémantique de l'écologie.

environ – alentour – environnement – cyclable – développement durable – faune – consommer – flore – recyclage – croissance – pollution – toilettes sèches – récupérer – brocante – poubelle – comportement

B. Rédigez la définition du mot « écologie » pour un dictionnaire.

Écologie, mot féminin : Science qui étudie…

12. ET DANS VOTRE LANGUE ?

A. Cherchez les différences de sens entre :

- contaminer et polluer : ....
- consumérisme et consommation : ....

B. Comment dit-on « développement durable » dans votre langue ?

....

13. EMPREINTE ÉCOLOGIQUE

A. Qu'est ce qu'une empreinte écologique ? Connectez-vous à Internet et cherchez une définition.

....

....

....

B. Cherchez un site en ligne qui vous permette de calculer votre empreinte écologique.
Notez vos résultats. Êtes-vous surpris ? Qu'en pensez-vous ? Rédigez un court commentaire.

....

....

....

....

....

....

C. Rendez-vous sur le site : http://www.developpement-durable.gouv.fr/.
Sur ce site, trouvez trois conseils pour faire des économies d'énergie.

....

....

....

....

....

D. Naviguez maintenant librement sur Internet. À l'aide d'un moteur de recherche, sélectionnez un site sur l'écologie qui vous intéresse. Notez l'adresse et dites pourquoi vous l'avez choisi.

....

....

....

....

....

Activités complémentaires en ligne sur versionoriginale.emdl.fr

Les paroles volent, les écrits restent | 5

1. FAIRE PART

A. Trouvez les bonnes réponses possibles. Parfois, plusieurs sont correctes.

1. Je suis ravi que…
   - ☐ tu viennes ce soir.
   - ☐ il vient ce soir.
   - ☐ venir ce soir.

2. Je regrette…
   - ☐ que tu apprennes cette nouvelle.
   - ☐ que j'apprenne cette nouvelle.
   - ☐ d'apprendre cette nouvelle.

3. Je me réjouis…
   - ☐ que tu apprennes cette nouvelle.
   - ☐ de savoir que tu es si heureuse.
   - ☐ que tu es si heureuse.

4. Je ne supporte pas…
   - ☐ que l'on me fasse perdre mon temps.
   - ☐ qu'on me fait perdre mon temps.
   - ☐ de perdre mon temps.

5. Je suis choqué…
   - ☐ qu'il conduit aussi vite.
   - ☐ qu'il conduise aussi vite.
   - ☐ de conduire aussi vite.

B. Faites une seule phrase avec les deux phrases proposées en utilisant le subjonctif ou l'infinitif selon la situation.

1. Je me réjouis. Je vais faire enfin la connaissance de sa famille.

   Mon amour, je me réjouis de faire enfin la connaissance de ta famille.

2. Je suis surprise. Ma voiture a disparu !

   Monsieur l'agent, je suis surprise ………………………… …………………………

3. Je suis contente. Je vais voir mes amis très bientôt.

   Chère Anne, je ………………………… ………………………… …………………………

4. Les voisins laissent les poubelles dans l'entrée de l'immeuble. Je ne supporte pas ça.

   Chers voisins, je ne supporte pas ………………………… …………………………

5. Le quartier a perdu sa boulangerie. Je le regrette.

   Monsieur le maire, ………………………… ………………………… …………………………

C. À l'aide des expressions vues précédemment, répondez à ces messages.

2. POUR FAIRE COURT

A. Lisez ce message sms et traduisez-le en français standard.

Piste 15

B. Écoutez pour vérifier.

C. Réécoutez et barrez dans votre texte en français standard les lettres qui ne s'entendent pas à l'oral.

D. Connaissez-vous un poème en français ? Traduisez un passage en langage sms. Si vous n'en connaissez aucun, cherchez sur Internet un poème de Jacques Prévert ou de Paul Éluard.

3. RÉPONDEUR

Piste 16

A. Écoutez ces messages laissés sur le répondeur de Leïla et écrivez sur son bloc-notes le thème principal de chacun de ces messages.

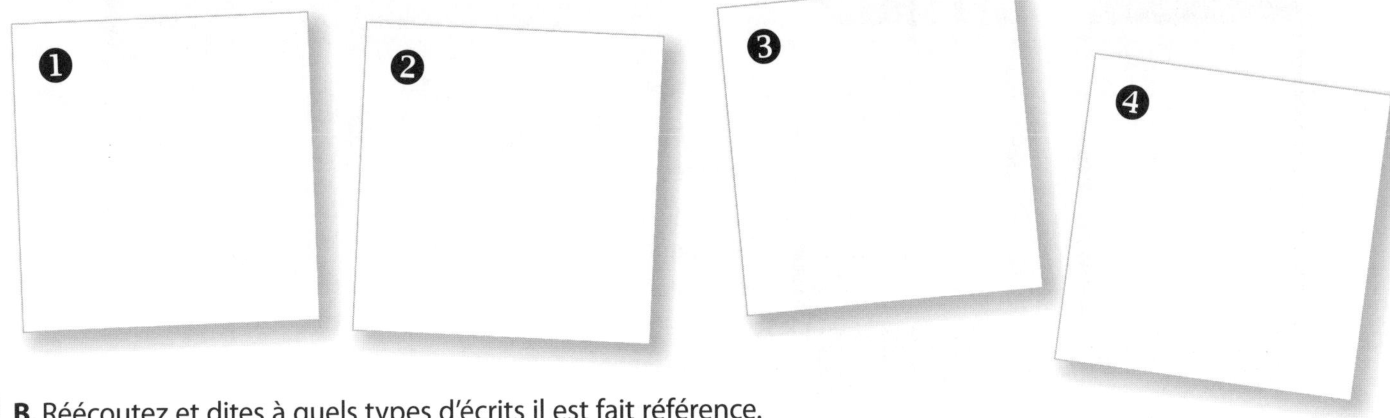

Piste 16

B. Réécoutez et dites à quels types d'écrits il est fait référence.

C. Rédigez l'un de ces écrits, au choix, en respectant les codes linguistiques propres au genre choisi.

4. QU'EN PENSEZ-VOUS ?

Complétez les phrases avec les verbes suivants au subjonctif et donnez votre opinion en choisissant une phrase dans la bulle.

apprendre – être – pouvoir – avoir – vivre – aller – fêter – être – refuser

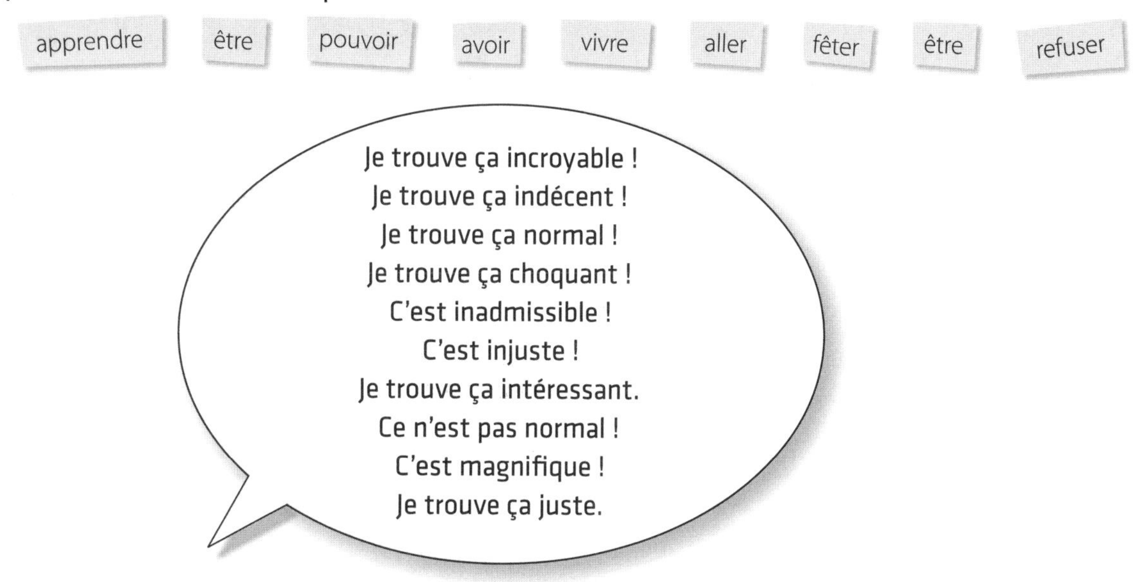

1. *Je trouve ça intéressant* que les enfants *apprennent* une langue étrangère dès 4 ans.
2. .... que les enfants .... à l'école dès trois ans.
3. .... que les autoroutes .... payantes.
4. .... que ses parents ne lui .... pas son anniversaire.
5. .... que la mairie .... certains prénoms.
6. .... que la vitesse sur l'autoroute .... illimitée en Allemagne.
7. .... qu'une femme de 67 ans .... un bébé.
8. .... que les jeunes .... chez leurs parents de plus en plus tard.

5. LES ARNAQUES SUR INTERNET

A. Une chaîne de télévision recherche pour une émission, des personnes victimes d'arnaques sur Internet. Un téléspectateur écrit pour raconter sa mésaventure. Complétez le texte avec les pronoms COD (*le, la, les, l'*) ou COI (*me, te, se, nous, vous, lui, leur*).

Il s'agit d'un problème avec la location d'un appartement à New York. Je .... avais trouvé par Internet, n'habitant pas sur place. La personne avec qui j'étais en contact .... demandait d'envoyer l'argent le plus vite possible. Avant de .... envoyer, je .... ai demandé de me donner des garanties et des précisions sur les modalités de la transaction. Loin de .... donner, elle ....'a répondu que je pouvais .... faire entièrement confiance, qu'il n'y avait aucun problème. À nouveau, elle .... réclamait au plus vite la somme d'argent. Je ne .... ai pas envoyée. J'ai commencé à .... soupçonner. L'appartement était trop grand et étrangement bon marché. Je .... ai dit. La réaction a été immédiate : « Il faut m'envoyer l'argent maintenant. D'autres personnes sont intéressées par cet appartement. Si vous ne .... versez pas sur mon compte cet après-midi, je .... verrai dans l'obligation de .... laisser ». Bien sûr, je ne .... ai jamais envoyé. Finalement, j'ai tapé son nom sur Google : c'était une arnaque bien connue.

Fabien T.

Piste 17

B. Écoutez et vérifiez vos réponses.

C. Vous ou quelqu'un de votre entourage, avez été la victime d'une arnaque sur Internet. Écrivez à la chaîne pour raconter cette anecdote.

6. PASDEPANIQUE.COM

En tant que médiateur du forum de pasdepanique.com, vous répondez à ces témoignages en leur donnant des conseils et en utilisant les expressions suivantes. Attention, vous utiliserez soit le subjonctif, soit l'indicatif.

Il faut que | Il est impossible que | Ce serait bien que | Il est souhaitable que | Il est évident que | Il est clair que | Il vaut mieux que | Il se peut que | Je ne pense pas que | Je suis convaincu que | Je suis content que | Il est inutile que | Je regrette que

J'ai perdu une grosse somme d'argent aux jeux et je ne sais pas comment le dire à mon mari.

....

....

....

Je suis stressé au travail. Que puis-je faire ?

....

....

....

....

J'ai perdu mon travail et j'ai peur de rester au chômage.

....

....

....

....

Nous avons décidé avec ma femme de partir vivre au Brésil. Nous ne savons pas comment le dire à notre fils de quinze ans qui a tous ses amis ici. Pouvez-vous nous conseiller ?

....

....

7. CONTRE LES MOULINS À VENT

A. Connaissez-vous l'association *Les Enfants de Don Quichotte* ? C'est une association qui lutte contre le problème des SDF et qui milite pour le droit au logement. En 2006, les Enfants de Don Quichotte avaient installé 100 tentes de camping sur les bords du Canal Saint-Martin à Paris. En pleine campagne présidentielle, cette action spectaculaire avait connu une énorme couverture médiatique.
Comment améliorer les conditions d'accueil des SDF dans les centres d'accueil ? Répondez à cette question en transformant ces phrases nominales avec le gérondif.

1. Ouverture 24h/24, 365 jours par an de tous les centres d'hébergement.
   En ouvrant tous les centres d'hébergement 24h/24, 365 jours par an.
2. Accueil des personnes en chambre individuelle ou double.
   ....
3. Garantie de places accessibles pour les couples et les personnes ayant des chiens.
   ....
4. Participation à la vie et l'organisation du centre.
   ....
5. Renforcement de l'accompagnement social.
   ....

Autres idées :
....
....

B. Aidez les Enfants de Don Quichotte à rédiger un manifeste en utilisant le mode qui convient : subjonctif, indicatif ou infinitif.

Nous, citoyens et citoyennes, refusons la situation inhumaine que vivent certains d'entre nous, sans domicile fixe.
Il est inadmissible que (personnes sans logement au XXIe siècle) ....
....
Il est stipulé dans la Constitution des droits de l'homme que (garantir le droit au logement pour tous)
....
....
Nous voulons que (réaction du gouvernement) ....
....
Il faut que (lutte de tous les citoyens contre cette barbarie) ....
....
....
C'est pourquoi il est primordial que (signer ce manifeste) ....
....

8. BONJOUR, AUREVOIR ?

Placez les formules à leur place dans le tableau.

Madame, Monsieur • Coucou • Slt • Bonjour • Ma chère Marie • Veuillez recevoir, Madame, l'expression de mes salutations distinguées • Bien à vous • Cher Paul • Bonjour • Bizzz • À bientôt • A + • Salutations

Formule d'adresse	Formule de congé

9. POUR COMMENCER...

A. Quelle formule d'introduction dans une lettre utiliseriez-vous pour chacune de ces situations ?

Pour...	J'utiliserais...
A. Confirmer la reception d'une lettre B. Refuser poliment C. Répondre à un courrier D. Annoncer une bonne nouvelle	1. Nous regrettons vivement de ne pas pouvoir donner suite à... 2. Nous vous informons que nous avons bien reçu... 3. Nous avons le plaisir de vous avertir que... 4. Suite à votre demande, nous...

B. Comment commenceriez-vous votre courrier pour :

1. Remercier pour un service.

....

....

2. Décliner poliment une invitation.

....

....

3. Répondre à un ami qui vient de vous annoncer l'arrivée un bébé.

....

....

10. CORRESPONDRE EN FRANÇAIS

A. Apprendre le français en correspondant, c'est possible et relativement facile grâce à Internet. Tapez *correspondre en français* sur un moteur de recherche. Vous trouverez plusieurs propositions de sites qui offrent ces services gratuitement. Connectez-vous à l'un d'entre eux, par exemple *eTandem*, *speakmania*, *LingQ* ou *eTwinning*.

Description du site Internet sélectionné :

....

....

....

B. Deux possibilités s'offrent à vous : soit vous vous connectez à un chat et vous communiquez avec d'autres usagers déjà en ligne et vous choisissez la personne connectée qui vous intéresse, soit vous cherchez un correspondant fixe, et dans ce cas, vous n'échangez pas dans l'instant mais vous prenez le temps d'écrire, d'attendre la réponse. Définissez votre profil, rédigez un texte de présentation sous la forme d'une première lettre que vous pourriez écrire à votre correspondant.

....

....

....

C. Connectez-vous et tentez l'expérience.
Notez vos premières impressions, le nom des personnes auxquelles vous avez écrit. Pensez à des questions que vous aimeriez leur poser dans le futur. Pourquoi ne pas commencer un journal de bord de vos échanges avec votre (vos) correspondant(s) ?

Cher correspondant,

....

....

....

....

....

....

....

....

....

Activités complémentaires en ligne sur versionoriginale.emdl.fr

1. À L'AFFICHE !

A. Observez les affiches des films suivants dans l'unité 6 du *Livre de l'élève*, et dites de quel genre de films il s'agit selon vous : action, comédie, drame, policier, etc.

Piste 18

B. Écoutez ces avis de spectateurs et dites de quel film ils parlent.

	Film
Spectateur 1 :	
Spectateur 2 :	
Spectateur 3 :	
Spectateur 4 :	
Spectateur 5 :	

C. Parmi ces cinq films, lequel auriez-vous le plus envie de voir ? Et quel est celui que vous n'avez pas du tout envie de voir ? Pourquoi ?

....

....

....

....

....

2. PERSONNAGES DE FILMS

A. Complétez les présentations suivantes en utilisant les relatifs : *qui / que / dont / ce qui / ce que / ce dont* et devinez de quels personnages de films il s'agit.

- C'est un jeune garçon .... les parents ont été assassinés et .... est élevé par son oncle et sa tante. ....'il découvre à l'âge de 11 ans, c'est qu'il est en réalité un magicien .... les pouvoirs vont rapidement augmenter à l'école de sorcellerie de Poudlard.
  C'est ....
- C'est un homme puissant, natif du village de Corleone en Sicile, chef de l'une des cinq familles .... règnent sur le syndicat du crime aux États-Unis. Ce personnage de roman est celui .... Francis Ford Coppola reprend en 1972 dans son film *Le Parrain*. .... est exceptionnel, c'est que son rôle est interprété successivement par Marlon Brando puis par Robert de Niro dans la suite du film, en 1974.
  C'est ....
- C'est un personnage de fiction .... a été créé par Uderzo et Goscinny, il est d'abord un héros de bande-dessinée .... les aventures sont adaptées au cinéma depuis 1999. C'est un irréductible gaulois .... résiste à l'invasion romaine et met en échec les troupes de Jules César. .... il ne se sépare jamais, c'est de son menhir !
  C'est ....

B. À votre tour, rédigez un petit texte présentant un personnage de film de votre choix.

....

....

....

3. MEILLEUR ESPOIR FÉMININ

Complétez l'interview suivante avec les pronoms relatifs qui conviennent.

Carole Lagrange, vous venez de recevoir le César du meilleur espoir féminin pour votre rôle dans le film *Les petits papiers* .... est toujours sur les écrans. Que ressentez-vous ?

C. L. Je suis ravie, bien sûr, c'est un prix .... rêvent toutes les jeunes actrices et c'est un grand honneur de le recevoir .... je suis le plus fière, c'est qu'il s'agit d'un premier film .... a eu beaucoup de difficultés à être produit et distribué.

Pouvez-vous nous parler un peu de votre rôle dans le film ?

C. L. Le personnage de Charlotte est celui d'une jeune fille .... cherche à exister dans un univers professionnel difficile et .... va devoir confronter sa vision romantique du métier d'écrivain à une réalité très différente. .... la rend très attachante, c'est justement ce côté un peu rêveur, en décalage avec un milieu plutôt cynique.

Et votre prochain film ? On dit que vous allez tourner avec Woody Allen ?

C. L. Ça, c'est un secret ! .... je peux vous dire, c'est que ce sera une comédie.

4. ET SI ON ALLAIT AU CINÉ ?

Piste 19

A. Agathe et Stéphane se retrouvent après le travail pour prendre un café. Écoutez leur conversation, remplissez le tableau et répondez aux questions suivantes.

Film proposé par Agathe	
Film proposé par Stéphane	
Critères de choix	

Pourquoi n'arrivent-ils pas à se mettre d'accord sur le choix du film ?

....

Quelle solution est finalement proposée ?

....

B. Vous allez au cinéma avec Agathe et Stéphane : lequel des deux films choisiriez-vous et pourquoi ?

....

....

....

....

5. TITRES DE FILMS

Remettez les adjectifs de ces titres de films à leur place (faites l'accord si nécessaire).

1. Les .... gosses .... (*beau*)
2. Une .... époque .... (*formidable*)
3. Ma .... saison .... (*préféré*)
4. Le .... destin .... d'Amélie Poulain (*fabuleux*)
5. La .... vie .... des anges (*rêvé*)
6. Une .... femme .... (*français*)
7. Le .... ruban .... (*blanc*)
8. Le .... métro .... (*dernier*)
9. L' .... auberge .... (*espagnol*)
10. Le .... lieutenant .... (*petit*)

6. CRITIQUES

A. Lisez les deux critiques du film *Potiche* publiées dans un magazine et répondez aux questions suivantes.

✓ Les adaptations de pièces réussissent bien à François Ozon : après *Huit femmes*, il adapte *Potiche*, pièce de boulevard rendue célèbre par la regrettée Jacqueline Maillan. Et Ozon signe là un de ses meilleurs films, drôle et impertinent. Les décors et la musique sont excellents et kitchissimes, les acteurs sont formidables (dont Catherine Deneuve qui trouve là un de ses meilleurs rôles). On rit beaucoup, les dialogues sont finement écrits et le plaisir que semble prendre l'équipe à faire le film est communicatif.
Un excellent moment.

CARINE LEGRAND

✗ Creux et superficiel, le dernier film de François Ozon est une grande déception. Nous promettant le grand retour de Catherine Deneuve – qui en effet est absolument incroyable ! – *Potiche* est décevant et irritant. Les effets comiques sont trop forcés et tombent à plat, les personnages sont surjoués et l'histoire devient rapidement répétitive et ennuyeuse.
Une comédie sans grand intérêt qui ne vaut que par la présence de Catherine Deneuve.

JOËL GUEGUEN

1. Le film *Potiche* est à l'origine :
- ☐ une pièce de théâtre.
- ☐ un roman.
- ☐ une série.

2. L'action du film se déroule :
- ☐ dans les années 70.
- ☐ de nos jours.
- ☐ on ne sait pas.

3. Ce film est plutôt :
- ☐ un drame.
- ☐ une comédie.
- ☐ un film historique.

4. Qui est l'actrice principale du film ?
- ☐ Jacqueline Maillan.
- ☐ Catherine Deneuve.
- ☐ Les deux.

B. Relevez, dans le tableau suivant, les différents éléments du film décrits et les adjectifs qui servent à les qualifier.

L'histoire	
Les acteurs	
Les décors / La musique	
Le film	
Les dialogues	

C. À votre tour, rédigez la critique d'un film que vous avez beaucoup aimé ou au contraire détesté en donnant votre avis sur les catégories vues ci-dessus (l'histoire, les acteurs, les décors...)

....

....

....

7. UN FILM GÉNIAL !

A. Lisez les phrases suivantes en accentuant les syllabes ou les adjectifs de manière à exprimer un sentiment particulièrement fort.

CE FILM EST VRAIMENT GÉNIAL !
J'AI ÉTÉ BOULEVERSÉ(E) !
C'EST VRAIMENT UNE HISTOIRE INCROYABLE !
CE FILM EST TROP DRÔLE !
CE RÉALISATEUR EST EXCELLENT !
MOI, J'AI DÉTESTÉ, C'ÉTAIT VRAIMENT NUL !

Piste 20

B. Écoutez l'enregistrement, répétez et enregistrez-vous.

8. UN PROPHÈTE

Observez ces commentaires du film français *Un prophète* et transformez les phrases suivantes en utilisant un participe présent.

Avec neuf récompenses remportées, le grand gagnant des César 2010 est *Un prophète* de Jacques Audiard.

Ayant remporté neuf récompenses, le grand gagnant des César 2010 est Un prophète de Jacques Audiard.

Note : les César sont les prix du cinéma français, remis par l'Académie des arts et techniques du cinéma et récompensant les films sortis chaque année.

1. Jacques Audiard, qui signe son quatrième long-métrage, nous livre le film le plus marquant du cinéma français en 2009.

   ....

2. Parce qu'il s'inspire de l'univers carcéral, *Un prophète* est particulièrement fort et bouleversant.

   ....

3. Présenté au festival de Cannes en compétition officielle, il a reçu un accueil très favorable qui l'a placé parmi les favoris pour la Palme d'or.

   ....

4. Tahar Rahim, qui joue le rôle de Malik, a remporté le César du meilleur acteur en 2010.

   ....

9. QUI SONT-ILS ?

A. À qui font référence les définitions suivantes ?

1. Actrice ayant remporté l'Oscar 2008 pour son rôle dans *La Môme*.

   ....

2. Réalisateur ayant été choisi pour présider le jury du festival de Cannes 2010.

   ....

3. Réalisateur retraçant l'histoire de Saartjie Baartmant dans son film *La Vénus noire*.

   ....

4. Acteur français qui a appris l'anglais pour son rôle dans *Léon*.

   ....

B. Sur le même modèle, imaginez des définitions pour faire deviner trois acteurs ou réalisateurs célèbres.

1. ....

   ....

2. ....

   ....

3. ....

   ....

10. CE QUE JE PRÉFÈRE AU CINÉMA

A. Lisez ces avis de spectateurs et complétez-les avec les mots de la liste.

différents | grand | italien | préféré | petit | premier | spéciaux

« Moi, ce que je préfère au cinéma, c'est la sensation d'évasion : tu peux voyager dans plein d'histoires et de mondes .... tout en restant assis dans ton fauteuil. »
« Moi, j'adore les films d'action, d'ailleurs, le .... film que j'ai vu, c'était un James Bond. J'étais .... mais ce dont je me souviens particulièrement, c'est que le méchant avait des dents en or. »
« Ce que je préfère, c'est le cinéma .... avec ses comédies douces-amères. Et puis Marcello Mastroianni est mon acteur .... ! »
« Je n'aime pas du tout le cinéma à .... spectacle et ce qui m'énerve le plus c'est quand tout le film repose entièrement sur les effets ...., sans aucune histoire à raconter. »

B. Et vous, quel type de film est-ce que vous préférez ? Rédigez un petit texte sur le modèle de ceux de l'activité A.

....

....

11. RÉBUS

Déchiffrez les rébus suivants et retrouvez des mots appartenant au domaine du cinéma.

Note : un rébus est la transcription graphique de la phonétique d'une phrase ou d'un mot dans laquelle les syllabes sont remplacées par des images.

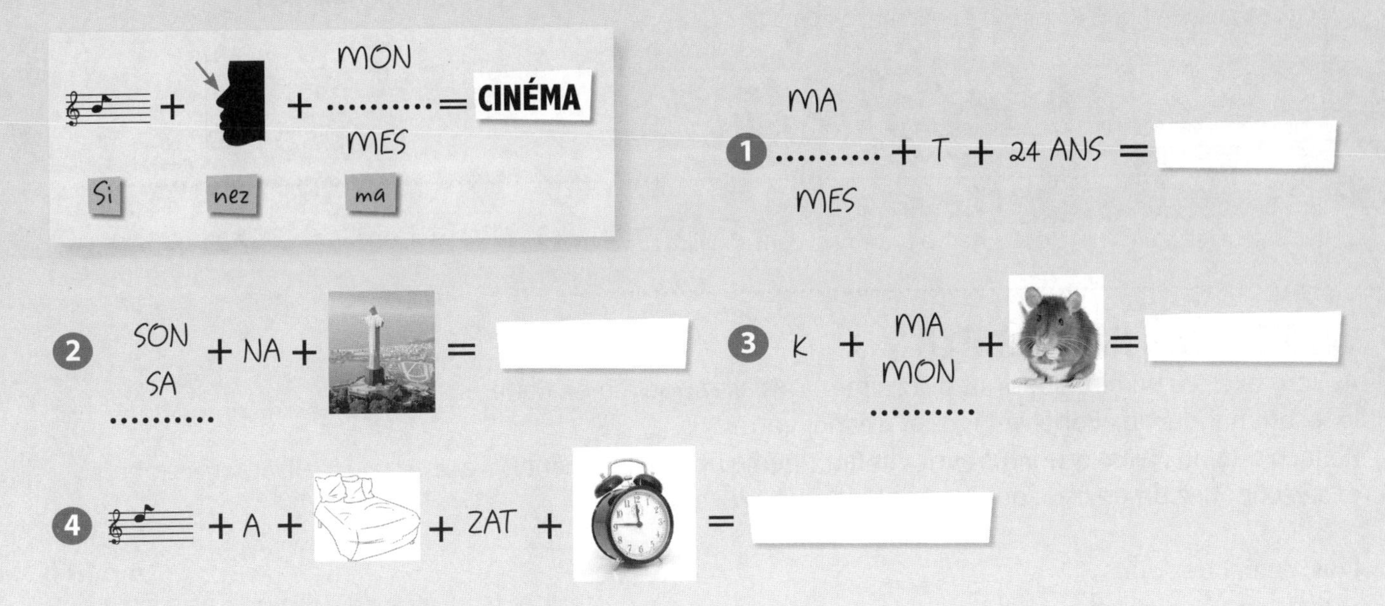

12. MON RÉSEAU DE MOTS

Complétez ce réseau de mots des genres cinématographiques.

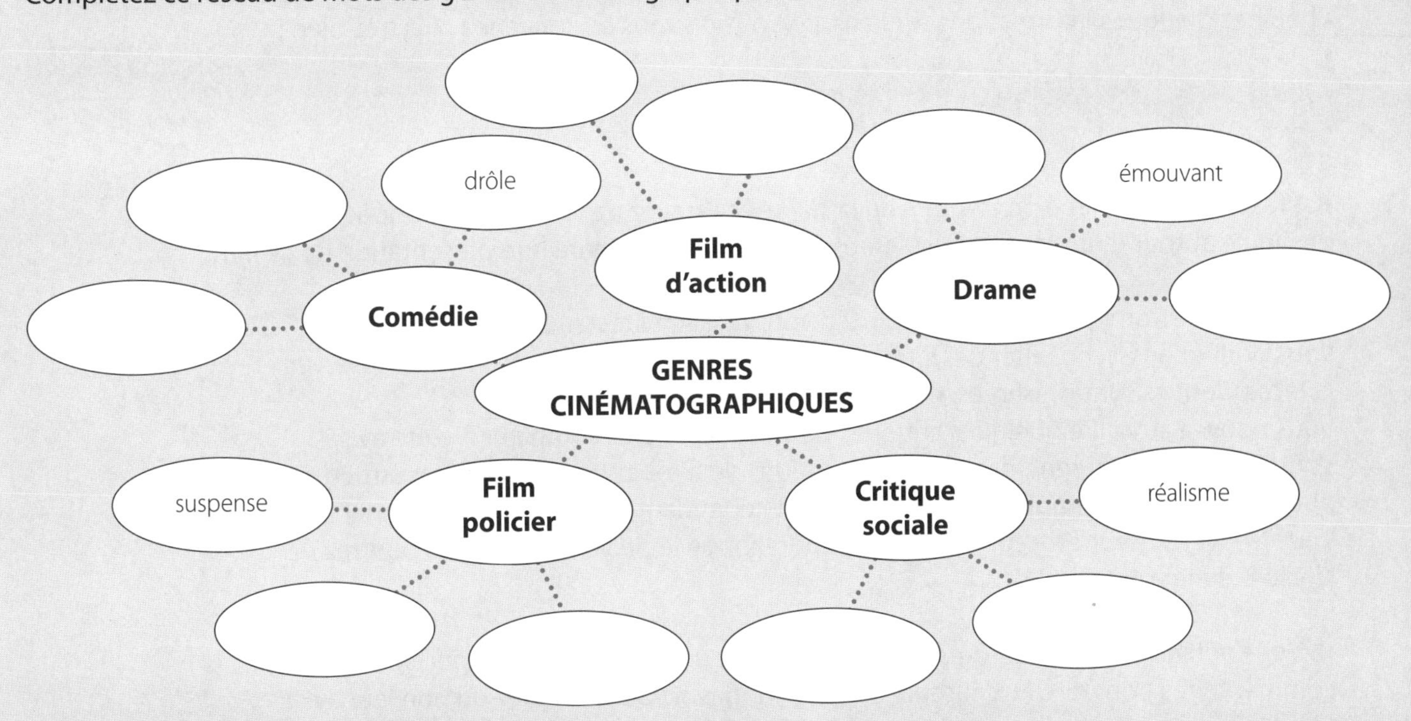

13. ET DANS VOTRE LANGUE ?

Que dites-vous pour qualifier un film que vous avez adoré ? Et un film que vous n'avez pas aimé du tout ? Quelles expressions utilisez-vous pour recommander un film à un ami ?

¡No te pierdas esta película!

Un film à ne pas rater! - Un film da non perdere

14. UN FILM À NE PAS RATER

A. Vous avez vu un film que vous avez aimé. Vous allez pouvoir en parler, le recommander aux Babelwébiens et donner votre avis.
Réfléchissez aux films que vous avez vus (au cinéma ou à la télévision) et sélectionnez un de ceux qui vous ont marqué, plu, etc.

Puis, demandez-vous :
- ce qui vous a plu, marqué, etc. dans ce film ;
- pourquoi vous le recommanderiez.

Cherchez quelques informations sur le film si vous ne vous en souvenez plus très bien :
- qui est le réalisateur ?
- quels sont les acteurs principaux ?
- etc.

B. Présentez votre film à l'ensemble de la classe et essayez de former des groupes de 3 ou 4 autour d'un des films présentés. Chaque groupe écrira une présentation de ce film.

C. Pour écrire votre présentation, reportez-vous aux activités du *Livre de l'élève*.
Vous pouvez aussi consulter des sites sur lesquels des films sont présentés et observer la façon dont ils sont présentés, notamment celui que vous avez choisi.
Vous pouvez aussi lire quelques critiques de votre film et les comparer à votre avis.
Vous trouverez sûrement, dans les présentations de films et les critiques, des structures ou du lexique que vous pourrez réemployer. Votre texte doit cependant être un texte personnel avec votre avis.
Vous trouverez peut-être sur Internet la bande-annonce de votre film. Vous pourrez l'inclure dans votre article.

D. Vous pouvez aussi lire les présentations qui sont déjà sur le site et apporter des commentaires pour dire aux auteurs de ces critiques si vous partagez ou non leur avis.

http://m2.babel-web.eu.

Y a-t-il une vie après l'école ? | 7

1. FICHES-MÉTIERS

A. Lisez les fiches-métiers (pp. 55 et 56) et complétez ensuite les 4 fiches (certaines informations ne seront peut-être pas connues).

1

Profession : ....
Objectifs : ....
Formation : ....
Débouchés : ....
Rémunération : ....

2

Profession : ....
Objectifs : ....
Formation : ....
Débouchés : ....
Rémunération : ....

3

Profession : ....
Objectifs : ....
Formation : ....
Débouchés : ....
Rémunération : ....

4

Profession : ....
Objectifs : ....
Formation : ....
Débouchés : ....
Rémunération : ....

ÉDITEUR

Du manuscrit au produit final imprimé, il faut entre 6 et 9 mois pour qu'un livre prenne place dans les rayons. L'éditeur est présent à toutes les étapes de fabrication du livre. Il est en relation avec l'écrivain et respecte le budget prévu. C'est à lui de bien choisir parmi les nombreux manuscrits reçus dans sa maison d'édition et de décider lequel sera le « Millénium » de demain !

Formation et débouchés

Secteur concurrentiel mais effectif stable. Formation en 2 ans : DUT information-communication, option métiers du livre.

Question argent

1 500 € brut par mois pour débuter. Jusqu'à 2 500 € avec de l'expérience.

DRESSEUR D'ANIMAUX

Les animaux sont votre passion ? Les chiens, les chats, mais aussi les dauphins ou les tigres : pourquoi ne pas être dresseur d'animaux ? Le dresseur apprend à l'animal à exécuter une figure ou à réaliser une performance. Comprendre l'animal est la qualité première du dresseur, mais pas seulement pour le spectacle : savoir anticiper ses réactions assure la sécurité de tous.

Formation et débouchés

Dans un zoo, un cirque ou un complexe aquatique. Développement du dressage chez les particuliers. Il n'existe pas de formation pour le dressage d'animaux : apprentissage du métier auprès de dresseurs confirmés.

Question argent

Du smic à 2 000 € par mois, variable en fonction du lieu de travail.

CASCADEUR

Vous aimez l'action, les sports extrêmes et le cinéma ? Ce métier est fait pour vous ! Faire une poursuite en voiture ou plonger d'un bateau, le cascadeur est celui qui réalise les scènes périlleuses du film en remplaçant l'acteur le temps d'une séquence. En France, on compte près de 250 cascadeurs professionnels. Cette carrière prenant généralement fin vers 40-45 ans, prévoyez un plan B pour la suite...

Formation et débouchés

Il ne se passe pas une semaine sans qu'un nouveau film d'action n'apparaisse sur nos écrans, on pourrait alors penser la profession en pleine expansion. Seulement, aujourd'hui, les effets spéciaux sont privilégiés et réduisent le rôle du cascadeur... Formation : Action training, école de cascade basée à Paris.

Question argent

Pour une journée de tournage, le salaire peut varier entre 230 et 1 000 €.

CHASSEUR DE TRÉSORS

Vous rêvez d'être Indiana Jones ? Devenez chasseur de trésors ! Ces collectionneurs passionnés d'histoire et d'aventures ne cachent pas leur désir de découvrir un jour le trésor de leurs rêves d'enfant... Les chasseurs de trésors sont au nombre de 50 000 en France (amateurs et professionnels confondus).

Formation et débouchés

À son compte ou pour le compte de personnes privées. Pas de formation spécifique. Patience et aptitude à dénicher les informations sont vos atouts.

Question argent

En fonction de vos découvertes... Sachez que les trésors relevant de l'archéologie, de l'art ou de l'histoire doivent être déclarés à l'État et que vous ne pouvez pas prétendre à leur propriété.

B. Laquelle de ces professions conseilleriez-vous à un ami en phase de reconversion professionnelle ?

....
....
....
....

C. À votre tour, rédigez une fiche-métier pour une profession de votre choix.

....
....
....
....

2. BÉNÉVOLE

Piste 21

A. Écoutez l'extrait radiophonique et dites quel graphique illustre le mieux le reportage selon vous.

Types d'associations dans lesquelles les femmes sont bénévoles

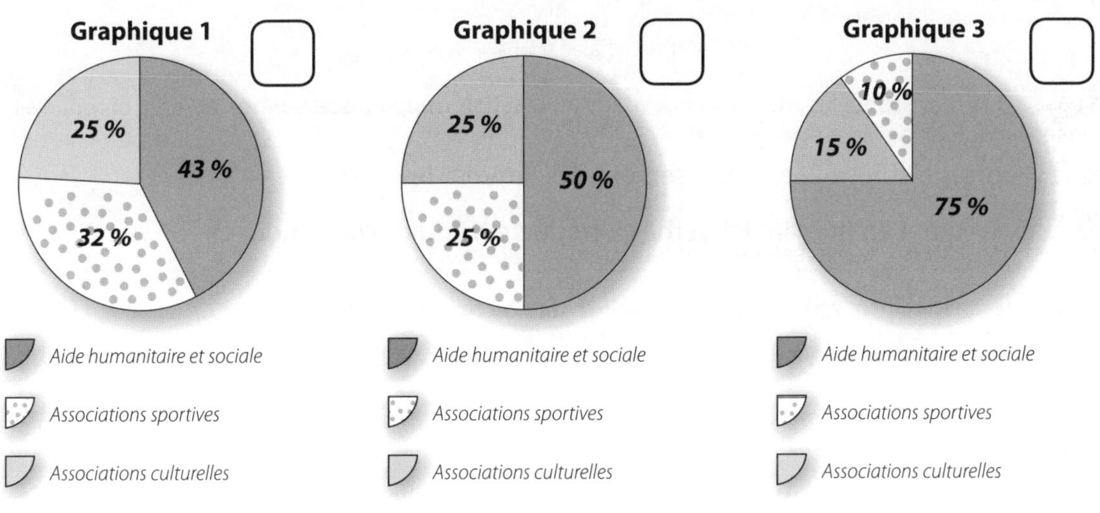

Piste 21

B. Écoutez à nouveau le reportage et répondez aux questions suivantes.

Les bénévoles en France sont-ils plutôt des hommes ou des femmes ?

....

Quel pourcentage de la population féminine française exerce une activité bénévole ?

....

Qui est Lionel Grangier ?

....

Selon lui, quelle est la principale motivation qui pousse les femmes à faire du bénévolat ?

....

Pourquoi dit-il que l'engagement bénévole des femmes représente une division traditionnelle des tâches du foyer ?

....

C. Dans quel domaine souhaiteriez-vous exercer une activité bénévole ?
Pourquoi ? ENREGISTREZ-VOUS et remettez l'enregistrement à votre professeur.

....

....

....

....

....

3. 50 IDÉES CONTRE LE CHÔMAGE

A. Le manque d'emplois est un problème important dans la société. Voici quelques propositions pour lutter contre le chômage. Classez ces idées de la meilleure à la moins bonne, selon vous.

créer un portail gratuit d'offre d'emplois sur Internet

développer les crèches dans les entreprises

transformer les stages en emplois rémunérés

améliorer l'orientation des étudiants

faciliter la création d'entreprise

Piste 22

B. Écoutez le reportage et retrouvez le classement des internautes.

C. Rédigez ce classement en utilisant les verbes introducteurs du discours indirect.

1. La majorité des internautes estime qu'il faut faciliter la création d'entreprise.
2. 48% des personnes interrogées ont répondu que ....
3. ....
4. ....
5. ....

4. VOUS POUVEZ RÉPONDRE À QUELQUES QUESTIONS ?

Piste 23

A. Écoutez les phrases et dites si vous entendez une affirmation ou une interrogation.

Phrases	Affirmation	Interrogation
1.		
2.		
3.		
4.		
5.		

B. Reformulez les phrases suivantes de différentes manières : interrogation directe avec inversion du sujet, interrogation directe avec mot interrogatif et interrogation indirecte.

	Interrogation directe avec inversion du sujet	Interrogation directe avec mot interrogatif	Interrogation indirecte
Vous pouvez répondre à quelques questions ?			
Vous exercez cette profession depuis longtemps ?			
Tu as vu le dernier sondage sur l'école ?			

Piste 24

C. Écoutez les phrases et vérifiez vos réponses. Répétez et ENREGISTREZ-VOUS !

5. C'EST POUR UN SONDAGE

A. Observez le sondage et dites dans quels domaines les Français sont le plus satisfaits de la situation de l'école (plus de 50 % de satisfaction).

Diriez-vous que la situation de l'école en France est très satisfaisante, assez satisfaisante, peu satisfaisante ou pas du tout satisfaisante, dans les domaines suivants :

	Très satisfaisante	Assez satisfaisante	Peu satisfaisante	Pas du tout satisfaisante	Sans opinion
La qualité de l'enseignement	5	60	24	5	6
La mixité sociale dans les établissements	6	55	22	7	10
L'utilisation des nouvelles technologies	7	52	24	4	13
La charge de travail des élèves	2	49	28	6	15
Le nombre d'élèves par classe	2	30	41	20	7
Le soutien aux élèves en difficulté	3	28	42	15	12
L'accueil des élèves handicapés	2	20	41	24	13
La préparation à l'insertion dans le monde du travail	1	19	48	24	8

B. Complétez le texte avec les mots et expressions suivants en vous aidant des résultats du sondage.

une minorité de personnes | des personnes interrogées | une large majorité des Français | la plupart | 51 % | 65 %

Selon un récent sondage Sofres, les Français semblent relativement peu satisfaits de la situation de l'école.

Si .... se dit satisfaite de la qualité de l'enseignement (....................), seulement .... pensent que la charge de travail des élèves est correcte. 61% .... estiment que le nombre d'élèves par classe est trop important. .... a répondu qu'elle était satisfaite de l'accueil réservé aux élèves handicapés. Mais le domaine dans lequel le mécontentement est le plus grand est celui de la préparation à l'insertion dans le monde du travail : .... (74 %) pense que l'école ne prépare pas suffisamment à l'insertion professionnelle.

C. À votre tour, rédigez les résultats du sondage concernant les domaines suivants : la mixité sociale dans les établissements, l'utilisation des nouvelles technologies, le soutien aux élèves en difficulté.

....

....

....

6. L'AUTO-ENTREPRENEUR

A. À partir des indications suivantes, rédigez les questions de la section FAQ* du site Internet autoentrepreneur.vo.

autoentrepreneur.vo

RSS

Le statut d'auto-entrepreneur est un nouveau régime destiné à faciliter la création d'entreprises individuelles. En période de crise de l'emploi, de nombreux Français sont attirés par cette nouvelle possibilité de diversifier leur activité professionnelle, mais ils se posent de nombreuses questions, la première étant bien sûr s'ils sont concernés et s'ils peuvent bénéficier du statut d'auto-entrepreneur. Ils souhaitent également savoir ce qu'est ce statut et de quels avantages il leur permet de bénéficier. Enfin, ils se demandent quelles sont les conditions pour créer une entreprise en tant qu'auto-entrepreneur et ce qu'ils doivent faire pour s'inscrire.

FAQ

Une foire aux questions vous permet d'obtenir des réponses aux questions les plus fréquemment posées.

Est-ce que je suis concerné par le statut d'auto-entrepreneur ?

....

....

*FAQ : Foire Aux Questions

B. Transposez ces témoignages d'auto-entrepreneurs au discours indirect.

« Moi, je suis graphiste et j'étais au chômage depuis deux ans. J'ai donc décidé de me mettre à mon compte comme graphiste free lance avec le statut d'auto-entrepreneur. Depuis, je travaille régulièrement pour de nombreux clients. »

Lionel, 37 ans

« Mon domaine d'activité, c'est la garde d'enfants à domicile. Je peux faire aussi les petits travaux ménagers et la livraison de courses. J'ai de l'expérience avec les petits enfants et une formation de deux ans comme puéricultrice. À l'avenir, je travaillerai certainement dans une crèche, mais pour le moment je préfère être indépendante. »

Malory, 24 ans

Lionel a dit que...

....

....

Malory a déclaré que...

....

....

7. DES ÉTUDES LONGUES

Associez ces différentes étapes de la formation française à leur définition.

1. Lycée
2. Master
3. Baccalauréat
4. Grande école
5. Licence
6. Classes préparatoires
7. IUT

a. Établissement d'enseignement supérieur qui recrute ses élèves par concours et qui assure des formations de haut niveau.

b. Établissement d'enseignement du secondaire qui réunit les classes de seconde, première et terminale.

c. Examen et diplôme sanctionnant la fin des études secondaires.

d. Institut universitaire de technologie : institut interne d'une université qui prépare aux fonctions d'encadrement technique et professionnel dans certains secteurs de la production, de la recherche appliquée et des services.

e. Grade universitaire et diplôme national de premier cycle de l'enseignement supérieur.

f. Grade universitaire et diplôme national obtenu après deux ans d'études après la licence.

g. Communément appelées « prépas », ce sont des filières d'enseignement supérieur situées généralement dans les lycées et qui préparent aux concours d'admission dans les grandes écoles.

1	2	3	4	5	6	7

8. LES POURCENTAGES

A. Y a-t-il dans votre langue une expression du pourcentage comme en français ? Laquelle ?

....

B. Comment traduisez-vous les phrases suivantes ?

64 % des personnes interrogées aiment leur profession.

....

52 % des Français estiment être stressés au travail.

....

9. FRANCE-SONDAGES

A. Allez sur le site de France-sondages et choisissez une catégorie : musique, cinéma, économie, travail, vie quotidienne, etc. Répondez aux questions et comparez vos réponses aux résultats du total des votes. Retranscrivez ci-dessous ces résultats.

À la question « Vouvoyez-vous votre patron ? », 62 % des votants ont répondu que oui.

À la question « Quels acteurs ayant incarné James Bond préférez-vous ? », une large majorité (44 %) a voté pour Sean Connery.

....

....

....

....

....

B. Choisissez 5 questions dans différentes catégories et posez-les à votre classe afin d'établir un sondage. Comparez les réponses obtenues à celles des internautes ayant répondu à ces questions sur le site de France-sondages.

C. Vous pouvez également compléter les sondages en proposant vos propres questions. (Vous pouvez adapter les questions du site France-sondages à l'actualité de votre pays, par exemple).

....

....

....

....

....

Activités complémentaires en ligne sur versionoriginale.emdl.fr

Pas de nouvelles, bonnes nouvelles ! | 8

1. LES GRANDS TITRES

A. Classez chacun des noms suivants dans la colonne qui lui correspond le mieux (attention, il y a parfois plusieurs possibilités !).

Victoire	Témoignage	Perturbation	Défaite	Restauration	Changement
Baisse	Limitation	Développement	Organisation	Disparition	Adoption
Avancée	Glissement	Création	Arrivée	Nomination	Réchauffement
Inondation	Situation	Mobilisation	Exposition	Renouvellement	Augmentation
Tournage	Dérèglement	Disqualification	Cambriolage	Discours	

société et faits divers	météo	sport	culture
Baisse, avancee	inondation	victoire	Tournage
Témoignage	glissement		
limitation, situation dérèglement glissement	dérèglement		
perturbation développement			

B. Utilisez certains de ces mots afin de compléter les titres de presse suivants.

1. Grève des enseignants : journée de .... dans l'Éducation nationale.

2. .... au musée d'Art moderne de Paris : cinq tableaux de maîtres dérobés dans la nuit du 19 au 20 mai.

3. Le dernier Woody Allen en .... à Paris.

4. .... de la planète : les enjeux du .... climatique.

5. .... du Tour de France en direct des Champs-Élysées.

6. Mesures anti-pollution : .... de la vitesse à 70 km/h sur le périphérique.

7. .... de l'équipe de France aux Championnats du monde de handball.

Avertissement, risque de neige

2. OÙ EST MON CHAPEAU ?

A. Imaginez un titre sous forme de phrase nominale pour chacun des chapeaux suivants.

1. Adoption parlementaire de la loi Hadopi

Les parlementaires ont adopté hier la loi Hadopi, rendant illégal tout partage de fichiers sur Internet sans règlement de droits d'auteur. Yesterday, parlementarians adopted the Hadopi law, making illegal any sharing of files on the internet without payment of rights

2. Après péripéties et polémiques, enfin ouverture du musée Chaplin en 2012

Après plus de 10 ans de péripéties financières et de polémiques, le grand musée Chaplin devrait ouvrir en 2012 à Genève. after more than 10 yrs of financial twists + turns + controversy

3. Prévision de neige pouvant causer des perturbations pour les automobilistes / circulation

La circulation devrait être perturbée dans la soirée en raison des risques de neige. Météo France prévoit une alerte orange et incite les automobilistes à la prudence. Traffic may be disrupted in the evening due to risk of snow. French weather predicts an orange alert and encourages motorists to be cautious

B. À l'inverse, imaginez un chapeau pour chacun des titres suivants.

1. Limitation de vitesse dans les grandes villes pour lutter contre la pollution.

speed restrictions in cities to fight against pollution.

2. Atterrissage d'urgence à Stockholm d'un vol Dubaï-New York.

Emergency landing in Stockholm by Dubai to New York flight.

3. Lancement de la nouvelle campagne anti-tabac.

Launch of new anti-tobacco campaign

3. DES MESURES D'URGENCE

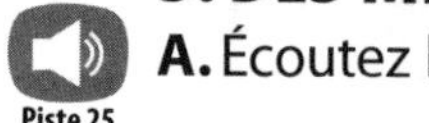
Piste 25

A. Écoutez l'enregistrement et soulignez l'information mise en valeur dans les phrases suivantes.

Le gouvernement a promis des mesures d'urgence pour lutter contre les changements climatiques.

L'équipe nationale a connu une défaite cuisante lors de son premier match à l'extérieur.

Ce nouveau livre pour arrêter de fumer garantit des résultats visibles en 3 semaines.

Le dernier film de Danny Boon a battu tous les records d'entrées au cinéma.

B. Lisez les phrases suivantes en mettant en valeur l'information soulignée.

Les syndicats exigent une réponse rapide du gouvernement sur ce sujet.

Selon les chercheurs, les humains pourraient devenir immortels à partir de 2045.

Un site Internet aurait trouvé la recette secrète de la boisson la plus vendue au monde.

Piste 26

C. Écoutez pour vérifier vos réponses, répétez et enregistrez-vous.

Le

4. VRAI OU FAUX ?

A. Parmi les informations suivantes, lesquelles sont réelles selon vous ? Lesquelles sont inventées ?

1. Un homme trouve un téléphone dans sa barquette de beurre.
2. La lecture des journaux sur Internet permet d'augmenter son espérance de vie.
3. Un adolescent risque une expulsion de son collège pour trafic de sucettes.
4. Une chemise spéciale a été inventé pour éviter l'odeur de transpiration.
5. Une université crée un Master option « chasseur de trésors ».

B. Choisissez l'une des informations précédentes et développez-la de deux façons différentes : dans un premier temps, vous présenterez les faits comme certains, puis dans une autre version comme non vérifiés.

....

....

5. LE JOURNAL DU 13 FÉVRIER

A. Vous retrouvez cette page déchirée d'un journal du 13 février 2011. Assemblez les éléments des deux colonnes afin de reconstituer les titres de presse de ce jour-là.

1. L'accès au Machu Picchu est limité g
2. L'Irlande est battue e
3. Une manifestation contre le machisme a été organisée b
4. Huit pièces de grande valeur ont été volées f
5. L'émission « Paroles de Français » a été regardée a
6. Marion Cotillard a été désignée « actrice la mieux payée » d
7. Les effets des aérosols sur la planète seront étudiés h
8. Robert de Niro a été choisi c

a. par 8,3 millions de Français hier soir.
b. par les associations de femmes italiennes.
c. pour présider la prochaine édition du Festival de Cannes.
d. par le satellite Glory.
e. par la France 25 à 22 au Tournoi des VI nations.
f. au musée du Caire par des inconnus.
g. par l'UNESCO.
h. par un magazine spécialisé.

B. Transformez les titres précédents à la voix active

1. L'UNESCO limite l'accès au Machu Picchu.
2. La France bat l'Irlande 25 à 22 au Tournoi VI Nations nations
3. Les Associations de femmes italiennes ont organisé une manifestation contre le machisme
4. Inconnus ont volé huit pièces de grande valeur au Musée du Caire.
5. 8,3 millions de Français ont regardé l'émission « » hier soir.
6. Un magazine spécialisé a désigné Marion Cotillard « actrice la mieux payée »
7. Le satellite Glory étudiera les effets des aérosols sur la planète
8. Festival du Cannes a choisi Robert de Niro pour présider la prochaine édition (du Festival).

On a choisi . . . .

dix neuf cent quatre vingt et un
dix neuf cent " " cinq

6. QUELQUES DATES-CLÉS

X **A.** Transformez les phrases suivantes avec des formes nominales.

Le musée Guggenheim de Bilbao a été inauguré en 1997. / 1997 : Inauguration du musée Guggenheim de Bilbao.

1. La peine de mort a été abolie en France en 1981.
   1981 : Abolition de la peine de mort en France.
2. L'épave du Titanic a été découverte en 1985 dans l'Atlantique Nord.
   1985 : La découverte de l'épave du Titanic dans l'Atlantique Nord.
3. La Coupe du monde de football a été remportée par le Brésil en 2002.
   deux mille deux 2002 : Victoire du Brésil par/pendant de Coupe du monde de football (remporté)
4. L'iPhone a été lancé à New York en 2007.
   2007 Lancement de l'iphone à New York
5. Le Prix Nobel de Littérature a été attribué en 2010 à l'écrivain péruvien Mario Vargas Llosa.
   2010 : Attribution du Prix Nobel de Littérature à l'écrivain Péruvien Mario Vargas Llosa

B. À l'inverse, transformez les phrases nominales suivantes à la voix passive.

1. 1947 : fondation de l'agence de photos Magnum.
   Magnum, l'agence de photos a été fondée en dix neuf cent quarante sept
2. 1980 : assassinat de John Lennon par un fan à New York.
   John Lennon a été assasiné par un fan à New York en dix neuf cent quatre vingt
3. 1985 : création de la chaîne de télévision TV5.
   La Chaine de télévision TV5 a été créée en dix neuf cent quatre vingt cin[q]
4. 2002 : publication de *Métro*, le premier quotidien national gratuit.
   ~~Métro, le premier quotidien national gratuit a été~~
   Métro a été publié en 2002
5. 2007 : réalisation du premier vol commercial de l'A380 entre Singapour et Sydney.
   Le premier vol commercial de l'A380 entre Singapour et Sydney a été realisé en 2007

C. Quels ont été, selon vous, les événements marquants dans votre pays ces dernières années ? Rédigez quelques phrases en utilisant des formes nominales ou passives.

....

créée
stem pp fem.

7. À LA UNE !

Piste 27

A. Écoutez cet extrait d'un flash infos. Relevez les informations principales et précisez à quelle rubrique appartiennent ces informations.

Info n°1 :
Info n°2 :
Info n°3 :

B. Écoutez à nouveau ces informations et, pour chacune d'elles, précisez si les faits sont présentés comme réels ou non vérifiés et relevez les formes linguistiques qui l'indiquent.

Information	Faits présentés comme réels ou non vérifiés	Formes linguistiques utilisées
N°1 jeu video sont bon pour le santé	nv	un étude, serait bon, d'après.
N°2	v	actif, indicatif
N°3	nv	selon des sources anonyme conditionnel.

8. QUEL AVENIR POUR LA PRESSE ?

Piste 28

A. La directrice d'un grand journal répond à des questions sur l'avenir de la presse écrite. Écoutez son interview et répondez aux questions suivantes.

1. Quelles sont les deux conséquences du développement d'Internet sur les habitudes des lecteurs de presse ? même individu ?
fragmentation usage nomadic consumption polarisation
2. Actuellement, combien de journaux un individu lit-il en moyenne chaque semaine ?
1
3. Quelles sont les caractéristiques de ces nouveaux lecteurs ?
infidele, practice de nombreuse source contraster, discuter jumping bontinage
4. Quel pourcentage de la population lit à la fois les journaux sur support papier et sur Internet ? in print — à la fois – same time as well as
15 %
5. Quelle est la base du journalisme traditionnel ?
training formation, opinion, exprime les impressions commentaire — closure of correspondents foreign offices
6. Quelle est la question fondamentale selon la directrice du journal ?
Press, future will be diferent, credebility of net journalisme

B. Quel est votre profil de lecteur de presse ? Décrivez-le en quelques lignes sur une feuille à part en tenant compte des questions suivantes : quels sont les principaux journaux de votre pays ? Quels supports utilisez-vous le plus souvent pour avoir accès à l'information ? En quels moyens de communication avez-vous le plus/le moins confiance ? Que pensez-vous de la profession de journaliste ?

What will be training of tomorrow
credebility of training on internet

9. LE MONDE DES MÉDIAS

A. **Vous recevez le questionnaire ci-dessous concernant vos habitudes face aux médias. Répondez aux questions.**

Quelles sont vos habitudes face aux médias ?

Les journaux

- ☐ Vous en lisez de temps en temps.
- ☐ Vous en lisez au moins un par jour.
- ☐ Vous n'en lisez jamais.

Les journaux télévisés

- ☐ Vous en regardez au moins un par jour.
- ☐ Vous en regardez au moins un par semaine.
- ☐ Vous n'en regardez jamais.

Les nouvelles du jour

- ☐ Vous en parlez avec vos amis/collègues de bureau.
- ☐ Vous n'en parlez jamais.
- ☑ Vous n'en parlez que si elles vous semblent spécialement importantes.

Les médias francophones

- ☐ Vous en connaissez plusieurs.
- ☐ Vous n'en connaissez aucun.
- ☐ Vous connaissez seulement TV5.

Les magazines

- ☐ Vous en recevez régulièrement, vous êtes abonné.
- ☐ Vous en lisez quand vous en avez l'occasion (chez des amis, dans une salle d'attente…).
- ☐ Vous n'en lisez jamais.

Piste 29

B. **Écoutez un extrait d'une émission de radio et comparez vos réponses avec les résultats du sondage.**

C. **Écoutez à nouveau l'enregistrement et trouvez de quoi on parle dans les phrases suivantes.**

1. On en parle avec ses collègues de travail : ……………………
2. On en distribue dans le métro et les transports en commun : ……………………
3. On en trouve dans les salles d'attente des médecins : ……………………
4. Les Français en lisent au moins un par jour : ……………………
5. Le public n'en connaît pas beaucoup : ……………………

D. **Et dans votre pays ? Répondez aux questions avec une phrase complète.**

1. Il y a des journaux gratuits ?

……………………

2. Il y a des magazines dans les salles d'attente ?

……………………

3. Il y a des machines à café dans les entreprises ?

……………………

10. LES INTEMPÉRIES

Replacez les lettres dans le bon ordre et retrouvez des mots qui appartiennent au vocabulaire du climat et des intempéries.

NODINTAONI : INONDATION
SUMNOSO : M _ _ _ _ O _
DECINNIE : I N C E N D I E
NULACECI : C _ _ _ _ _ _ L _
AGROE : O _ _ _ _
DRILORABUL : B R O U I L L A R D
HESECESÈRS : S _ _ H _ _ _ _ _ _ E
SAGRELV : V _ _ _ _ _ _ S
UREDOF : _ O U _ _ _

11. LES MOTS DES MÉDIAS

Complétez le tableau ci-dessous avec les mots vus dans l'unité et donnez pour chacun un équivalent dans votre langue, s'il existe.

	En français	Dans votre langue
Texte très court qui précède un article de journal et le résume		
Événement peu important mais qui fait sensation		
Première page d'un journal		
Forme de récit journalistique qui privilégie le témoignage direct		
Brève séquence d'informations à la télévision ou à la radio		
Journal ou revue qui paraît chaque semaine		

12. ET DANS VOTRE LANGUE ?

A. Existe-t-il un pronom « en » comme en français ?

B. Comment diriez-vous les phrases suivantes ?

Les journaux en parlent beaucoup. ....

J'en lis tous les matins. ....

Nous en reparlerons après la publicité. ....

13. DES NOUVELLES DU MONDE

A. Allez sur le site de RFI et faites la liste des principales informations du jour dans les différentes catégories.

Dernières infos :
International :
France :
Économie :
Sport :
Culture :

B. Quelles sont les différentes zones géographiques représentées ? Cherchez dans celle qui correspond à la vôtre les nouvelles du jour et comparez-les avec celle d'un journal de votre pays. Est-ce qu'il s'agit des mêmes informations ?

....

....

....

....

C. Allez dans la rubrique « Langue française » et écoutez le journal en français facile. Est-ce qu'il s'agit des mêmes informations dans le journal radio et sur la page Internet ?

....

....

....

....

D. Allez dans la rubrique « Le fait du jour » et écoutez l'extrait radio. Faites les exercices d'écoute qui sont proposés pour vérifier votre compréhension.

....

....

....

Activités complémentaires en ligne sur versionoriginale.emdl.fr

Tout finit par des slams | 9

1. CAVIARDAGES

Le caviardage consiste à altérer un texte en supprimant certains mots qui ne sont pas essentiels à sa compréhension (adjectifs, adverbes, compléments, etc.) tout en conservant son sens. Observez ce procédé sur le début de la fable de La Fontaine *Le corbeau et le renard* (*Livre de l'élève,* p. 113) et appliquez-le dans le reste du texte.

Corbeau, sur un arbre

Tenait un fromage.

Renard,

tint ce langage :

Bonjour, Monsieur !

....

....

....

....

2. L'INTÉRIM DE LA RIME

A. Retrouvez les mots qui riment avec les mots suivants dans le texte « J'écris à l'oral » (*Livre de l'élève,* p. 114).

Miroir : ....

Couche : ....

Image : ....

Pâle : ....

Lapin : ....

Pluie : ....

Sobre : ....

B. Piochez quelques mots parmi les séries précédentes afin de composer un court poème de quatre vers. Vous utiliserez au choix des rimes plates ou croisées.

....

....

....

3. QUELQUES MOTS NOUVEAUX

Rédigez un court texte en utilisant les mots suivants.

USB | kiffer | télédéclaration | en effet | bloguer | cool

....

....

....

....

....

4. VIENS MON BEAU CHAT…

Piste 30

A. Écoutez la lecture du poème de Charles Baudelaire *Le chat* et barrez les « e » muets qui chutent et soulignez ceux qui se prononcent.

Viens, mon beau chat, sur mon coeur amoureux ;
Retiens les griffes de ta patte,
Et laisse-moi plonger dans tes beaux yeux,
Mêlés de métal et d'agate.

Lorsque mes doigts caressent à loisir
Ta tête et ton dos élastique,
Et que ma main s'enivre du plaisir
De palper ton corps électrique,

Je vois ma femme en esprit. Son regard,
Comme le tien, aimable bête,
Profond et froid, coupe et fend comme un dard,

Et, des pieds jusques à la tête,
Un air subtil, un dangereux parfum
Nagent autour de son corps brun.

Charles Beaudelaire, Les fleurs du mal, 1857

B. Comptez les syllabes lues. Combien de syllabes comportent les vers de ce poème ?

....

C. Pourquoi certains « e » muets se prononcent et d'autres pas ?

....

D. ENREGISTREZ-VOUS. À votre tour, lisez le poème.

5. MÉTAGRAMMES

A. Le métagramme est une suite de mots dans laquelle une seule lettre change à chaque fois. Allez du mot de départ au mot d'arrivée en ne changeant qu'une seule lettre à la fois.

Ex :	1.	2.	3.	4.	5.	6.
LAPON	DAME	SOTTE	POÈTE	BOTTE	CALME	PROIE
LAPIN	RAME	SO_TE	POÈ_E	BO_TE	_ALME	PRO_E
LATIN	....	....	....	....	....	....
MATIN	RITE	POSTE	HOMME	NOIRE	LARME	GRISE

B. Choisissez l'un des métagrammes précédents et utilisez les mots pour rédiger un court poème de quatre vers.

....

....

....

....

6. LES MOTS-VALISES

A. Formez des mots-valises à partir des mots suivants.

1. Journal + mal = Jourmal
2. Baver + avancer = ...
3. Mathématiques + athlète = ...
4. Slam + animal = ...
5. Eléphant + franc = ...
6. Serpent + pantalon = ...
7. Moustache + cheveux = ...
8. Fiction + dictionnaire = ...

B. Imaginez une définition pour chacun des mots formés.

1. Jourmal : un journal qui apporte des mauvaises nouvelles

....

....

....

....

....

....

....

....

....

7. BESTIAIRE

A. Lisez ces poèmes tirés du *Bestiaire* de Guillaume Apollinaire et complétez le tableau des rimes.

Le Poulpe
Jetant son encre vers les cieux,
Suçant le sang de ce qu'il aime
Et le trouvant délicieux,
Ce monstre inhumain, c'est moi-même.

L'Éléphant
Comme un éléphant son ivoire,
J'ai en bouche un bien précieux.
Pourpre mort !... J'achète ma gloire
Au prix des mots mélodieux.

Le Chat
Je souhaite dans ma maison :
Une femme ayant sa raison,
Un chat passant parmi les livres,
Des amis en toute saison
Sans lesquels je ne peux pas vivre.

La Puce
Puces, amis, amantes même,
Qu'ils sont cruels ceux qui nous aiment !
Tout notre sang coule pour eux.
Les bien-aimés sont malheureux.

Le Bestiaire ou Cortège d'Orphée, Guillaume Apollinaire, 1911

	Rimes A	Rimes B	Type de rimes
Le Poulpe	Cieux, délicieux	Aime, même	croisées
Le Chat			
L'Éléphant			
La Puce			

B. Lequel de ces poèmes préférez-vous ? Pourquoi ?

....

....

C. Complétez le bestiaire ! Écrivez un court poème sur un animal de votre choix.

....

....

....

8. TU KIFFES ?

Piste 31

A. Écoutez ces deux dialogues et dites quel registre de langue est utilisé.

Dialogue 1	
Dialogue 2	

B. Retrouvez dans les dialogues les équivalents des expressions suivantes qui sont en langage courant.

J'adore ce garçon. : ....

C'est sympa, merci. : ....

Je suis content que tu aies aimé. : ....

Ça serait bien. : ....

9. QUESTION DE REGISTRE

A. Quel registre de langue (familier, courant ou soutenu) utiliseriez-vous dans les situations suivantes ? (Attention, il y a parfois plusieurs réponses possibles !) Justifiez vos réponses.

1. Pour vous adresser à un professeur :

....

2. Dans un café avec des amis :

....

3. Dans une lettre de motivation pour un emploi :

....

4. Pour demander des informations dans un centre culturel :

....

B. Réécrivez en langage soutenu le courriel suivant.

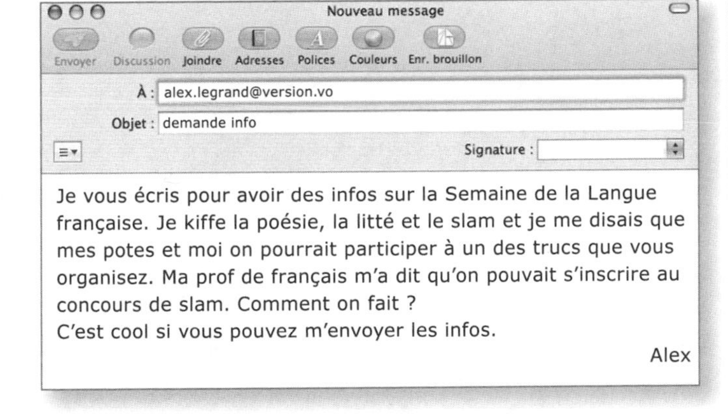

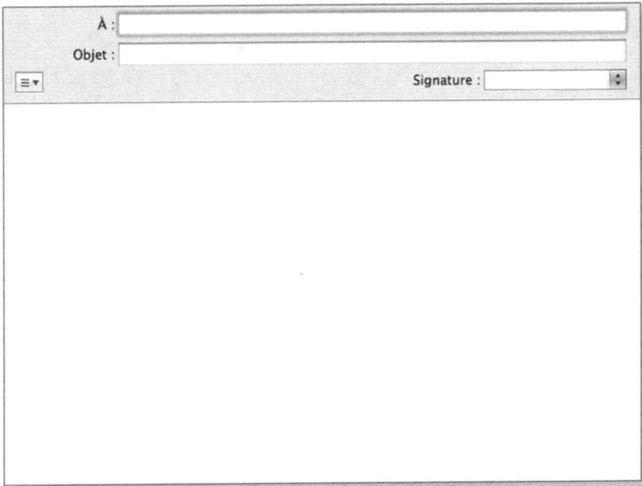

10. COMME UN POISSON DANS L'EAU

A. Associez les deux éléments de ces comparaisons afin de reconstituer les expressions.

Rouge comme ○	○ un bœuf.
Doux comme ○	○ un ver.
Fort comme ○	○ une écrevisse.
Excité comme ○	○ un singe.
Malade comme ○	○ une carpe.
Bavard comme ○	○ un agneau.
Nu comme ○	○ une puce.
Muet comme ○	○ une pie.
Malin comme ○	○ un chien.

B. Complétez les mini-dialogues suivants avec l'expression de l'activité A qui correspond le mieux.

- Tu as vu la présentation de Sylvie ?
- Oui, la pauvre elle était mal à l'aise… Elle déteste parler en public.
- Mal à l'aise ? Encore plus que ça, elle était *rouge comme une écrevisse* !

1.
- Pourquoi tu n'es pas venu à l'anniversaire de Stéphane ? C'était super !
- J'aurais voulu venir, mais j'avais un rhume terrible la semaine dernière, j'étais ……………………………………………………

2.
- Je vais voir mon grand-père demain.
- Il a quel âge ?
- 87 ans, mais il est toujours en pleine forme, il est ……………………………………… !

3.
- C'est ta mère au téléphone.
- Dis-lui que je ne suis pas là, je la rappellerai.
- Mais c'est ta mère !
- Oui, mais tu sais qu'elle est ……………………………………………………, et je n'ai pas envie de passer une heure au téléphone !

4.
- On va au Majestic jeudi soir ?
- Pfff…. Je ne sais pas, il y a une toujours une file d'attente immense dans cette discothèque !
- Mais pas si on y va avec mon frère : il est ………………………………………, il pourra nous faire entrer rapidement !

11. LE JEU DES CONTRAIRES

Dites si les paires de mots suivants sont des paires de contraires.

Complet – Incomplet : oui

Possible – Impossible : ……...

Capacité – Incapacité : ……...

Fusion – Infusion : ……...

Fraction – Infraction : ……...

Cohérent – Incohérent : ……...

Firme – Infirme : ……...

Pression – Impression : non

Former – Informer : ……...

Suffisant – Insuffisant : ……...

Pair – Impair : ……...

Portant – Important : ……...

Disposer – Indisposer : ……...

12. L'INVENTAIRE

Retrouvez l'intrus dans les listes suivantes.

1. poème – chanson – slam – rime
2. fric – kiffer – meuf – mot
3. texte – prose – écrire – vers
4. chelem – spectacle – tournoi – concours
5. grand – calme – colère – stress
6. dame – meuf – homme – femme

13. ET DANS VOTRE LANGUE ?

A. Existe-t-il différents registres de langue comme en français ? Lesquels ?

……………………………………………………………………

B. Comment diriez-vous les phrases suivantes dans votre langue ?

1. Je kiffe ce mec. : ……………………………………………
2. Je suis allé au ciné avec mes potes. : ……………………………………………
3. Cette meuf est super cool. : ……………………………………………
4. Ça fait des plombes que j'ai pas vu ce pote. : ……………………………………………
5. Fais gaffe à ma bagnole ! : ……………………………………………
6. Tu me files un peu de fric ? : ……………………………………………

14. LE PRINTEMPS DES POÈTES

Le Printemps des poètes est une manifestation créée en 1999 qui se déroule généralement au mois de mars. Son objectif, à travers plus de 12 000 activités en France et dans le monde, est de célébrer la poésie autour d'un thème différent chaque année.

A. Allez sur le site officiel du Printemps des poètes et cherchez le thème de cette année.

....

....

....

B. Quel est le programme de cette édition ? (dates, manifestations, poètes, etc.)

....

....

....

C. Piochez dans la rubrique « Passeurs de poèmes » un des thèmes des éditions précédentes et cherchez les poèmes qui correspondent.

D. Écrivez le titre du poème que vous avez préféré et expliquez pourquoi.

....

....

....

....

....

E. Qui est Andrée Chédid ? En quoi consiste le *Concours Andrée Chédid* ? Renseignez-vous sur les modalités d'inscription, et pourquoi ne décidez-vous pas de participer à la prochaine édition ?

....

....

....

....

....

Activités complémentaires en ligne sur versionoriginale.emdl.fr

Annexes

- Culture

L'autofiction : « et moi, et moi, et moi… »

Qui est le narrateur quand il se présente comme « je » ? De Rimbaud à Annie Ernaux, cette question traverse la littérature française moderne.

Aujourd'hui, l'autofiction, récit où l'auteur raconte des évènements de sa vie sous une forme plus ou moins romancée, est très en vogue dans de nombreuses disciplines artistiques, notamment dans la nouvelle chanson française, avec Vincent Delerm comme chef de file et Arnaud Fleurent-Didier, deux auteurs compositeurs qui se questionnent beaucoup sur eux-mêmes, avec drôlerie et sans complaisance.

Un autre espace dans lequel l'autofiction s'enracine, c'est le blog où chaque auteur peut consigner et partager son vécu avec d'autres internautes. Raconter sa vie… et celle des autres !

Lisez-vous régulièrement un ou plusieurs blogs d'autofiction ? Avez-vous déjà participé à l'écriture d'un blog ? Racontez votre expérience.
Pourquoi raconter sa vie sur un blog ? Trouvez-vous impudique de partager ses expériences de vie dans un espace public tel que le blog ?

La vagabonde des mers

Ella Maillart, née à Genève en 1903, est l'une des plus étonnantes exploratrices de son temps. Écrivaine, journaliste, navigatrice, photographe, elle est célèbre pour ses nombreux exploits sportifs (elle participe notamment à la première croisière féminine) et pour ses voyages dans les contrées les plus reculées de la planète (comme l'Inde ou le Népal) dans des conditions purement aventureuses. Elle relate ses nombreux voyages et expériences dans des livres, comme *Oasis interdites* (Payot) dans lequel elle raconte sa traversée de Pékin au Cachemire avec le journaliste Peter Fleming. À la question: « Pourquoi voyager ? », elle répondait : « Pour trouver ceux qui savent encore vivre en paix. » Elle meurt en 1997 à l'âge de 94 ans.

Connaissez-vous d'autres voyageuses pionnières comme Ella Maillart ?
Êtes-vous, vous aussi, attiré(e) par l'aventure ?

Le Cirque du soleil

Difficile d'imaginer, compte tenu de son succès international, que le Cirque du soleil a commencé comme une humble troupe de théâtre de rue arpentant les villes du Québec d'où il est originaire.
Pourtant, il en est ainsi. Le Cirque du soleil a été fondé en1984 dans la province du Québec par deux anciens artistes de rue Guy Laliberté et Daniel Gauthier. Aujourd'hui il, est détenu partiellement depuis août 2008 par la société d'investissements Dubaï World. Il a aujourd'hui neuf spectacles en tournée dans le monde, dix spectacles fixes (à Las Vegas, Orlando, Tokyo et Macao notamment), un spectacle saisonnier à New York et développe une importante activité de merchandising autour de ses spectacles.

Quelle est la clé de son succès ?
Basé essentiellement sur des numéros acrobatiques, il se différencie du cirque traditionnel par l'absence d'animaux et par l'importance donnée au jeu des acteurs et à la mise en scène.

En France, le cirque connaît une grande tradition et on y trouve de nombreuses écoles et compagnies, comme le très particulier et très poétique *Cirque plume,* qui comme son nom l'indique, joue d'une esthétique toute en légèreté et délicatesse.

Et vous, connaissez-vous le Cirque du soleil ? Y a-t-il une grande tradition de cirque dans votre pays ? Préférez-vous le cirque avec ou sans animaux ? Quelles sont les émotions que vous éprouvez quand vous voyez un spectacle de cirque ?

Agnès Varda, la glaneuse d'images

Peut-être connaissez-vous ce tableau de Millet ?
Il représente une scène à la fin des récoltes où les gens les plus humbles pouvaient aller ramasser les restes laissés dans les champs.
Agnès Varda, à travers son film *Les glaneurs et la glaneuse,* trace un portrait des glaneurs de notre époque, ces gens qui récupèrent dans les champs ou les villes, pour des raisons économiques ou idéologiques (contre le gaspillage et le consumérisme), par tradition (ramassage des noix, des champignons et des baies) ou encore par passion des vieux objets (collection).
Elle tente aussi d'en éclaircir l'aspect légal : a-t-on le droit de ramasser les restes d'une récolte sur une propriété privée ? La réponse n'est pas si évidente… On parle plus volontiers de tolérance en raison d'une tradition ancienne mais le propriétaire a le droit de décider de ce qu'il veut faire de ses récoltes.

Jean-François Millet, *Les Glaneuses*, 1857

Cette pratique existe-t-elle dans votre pays ? Savez-vous si elle est autorisée par la législation ? Si vous étiez propriétaire d'un verger, autoriseriez-vous le glanage sur votre propriété à la fin des récoltes? Expliquez pourquoi.

Les correspondances

L'histoire de la correspondance est liée à celle de la lettre et à celle de cette formidable organisation qu'est la Poste.
L'histoire de la Poste commence très tôt avec le roi perse Cyrus qui aurait installé vers 500 av. J-C des relais de chevaux sur les routes de son vaste empire. Une organisation semblable aurait existé en Chine à la même époque.

Une figure importante dans l'histoire de la lettre, c'est le facteur : c'est lui qui distribue le courrier. Cette profession apparaît au XVIIe siècle. Qu'il vente ou qu'il neige, été comme hiver, le facteur marche par tous les temps. L'utilisation de la bicyclette à la fin du XIXe siècle, puis de l'automobile dans les années cinquante, va soulager considérablement la tournée des facteurs.
Ils sont aujourd'hui près de 84 000 à distribuer chaque jour 66 millions de lettres et de paquets en France.

Quelle type de correspondance entretenez-vous ?
Vous arrive-t-il d'écrire ou de recevoir des lettres par la Poste ? Des cartes postales ? Des courriels ?

La France, terre de festivals

Avec un total de 166 manifestations, la France est le pays d'Europe qui compte le plus de festivals de cinéma chaque année. Rien qu'à Paris on peut dénombrer une trentaine de festivals (Festival du cinéma différent, Semaine du cinéma russe, Festival de cinéma brésilien, Festival international du film court, etc.). Chaque grande ville française accueille au moins un festival chaque année, le plus connu étant le Festival de Cannes. On peut également citer de nombreux festivals très importants comme le Festival du film fantastique à Avoriaz, le Festival du film policier de Cognac, le Festival du cinéma américain de Deauville, les Rencontres du cinéma d'Amérique latine à Toulouse ou le festival du court-métrage de Clermont-Ferrand.

Connaissez-vous d'autres festivals de cinéma (français ou autres) ?
Y a-t-il dans votre pays un ou des festivals de cinéma ? Lesquels ?

Les instituts de sondage

Un institut de sondage est une société de droit privé qui réalise des enquêtes d'opinion, le plus souvent commandées par des médias (journaux, radios, etc.).
Les principaux instituts de sondage en France sont :
TNS Sofres (Société Française d'enquête par sondages) : un des premiers instituts de sondage à donner des estimations de résultats lors des élections.
Ipsos : centré sur les études marketing, publicité et médias.
Ifop : créé en 1938, un des pionniers du marché des sondages d'opinion et des études marketing.
Médiamétrie : société spécialisée dans la mesure d'audience des médias audiovisuels.
INSEE (Institut national de la statistique et des études économiques) : chargé de la production, de l'analyse et de la diffusion des statistiques officielles en France (comptabilité nationale, démographie, taux de chômage, etc.).
France-sondages : sondages sur Internet dans lesquels les internautes sont invités à répondre à des enquêtes sur des thèmes d'actualité.

Dans votre pays, existe-t-il un organisme qui centralise les sondages ? Sont-ils importants ?

Les Français et les médias

À quel genre de médias correspondent selon vous les titres et noms suivants ?

RFI •	• Journal quotidien sportif
L'Équipe •	• Chaîne de télévision franco-allemande
Télé 7 jours •	• Radio France Internationale
Sud Ouest •	• Magazine télé
20 minutes •	• Journal gratuit
TV5 •	• Journal régional
ARTE •	• Chaîne internationale de télévision francophone

Depuis quelques années, le journal le plus lu en France est le quotidien gratuit *20 minutes*, détrônant ainsi le leader historique, le journal sportif *L'Équipe*.
Quant à la presse quotidienne régionale, elle est très lue en province, chaque région ayant son ou ses titres : *Corse Matin, La voix du nord, Sud Ouest*, etc.
Du côté des magazines, ce sont les hebdos télés qui sont les plus lus, comme *TV Magazine*, en première place, suivi de l'incontournable *Télé 7 jours*.
Au niveau international, la chaîne à vocation culturelle ARTE est un projet unique : diffusée simultanément en France et en Allemagne depuis 1992, c'est la seule télévision de service public à vocation culturelle européenne.
La chaîne TV5 monde quant à elle, est présente dans le monde entier : avec sa programmation exclusivement francophone, elle est l'un des outils préférés des étudiants de français et aussi de leurs professeurs…
Et pour ceux qui préfèrent écouter la radio, la radio publique *RFI* – Radio France Internationale – émet partout dans le monde. C'est l'une des stations de radios internationales les plus écoutées au monde.

OULIPO

L'OULIPO – acronyme d'OUvroir de LIttérature POtentielle – a été fondé en 1960 par Raymond Queneau et François le Lionnais.
Unissant à l'origine écrivains et mathématiciens, poètes et logiciens, l'Oulipo vise à explorer les potentialités de la littérature et de la langue.
Abécédaires, lipogrammes, inventaires, palindromes, l'Oulipo utilise ces contraintes afin de permettre la création d'œuvres nouvelles et originales.
Parmi ses membres les plus célèbres, on peut citer Raymond Queneau, bien sûr, mais aussi Italo Calvino, Marcel Duchamp et Georges Perec (connu pour avoir écrit un roman, *La disparition*, sans utiliser la lettre « e » !).
Les jeudis de l'Oulipo : véritable institution du groupe, les jeudis de l'Oulipo permettent d'ouvrir au public les jubilations créatives du groupe. Le rendez-vous hebdomadaire a lieu chaque jeudi à la Bibliothèque nationale de France.

Quels jeux de mots et contraintes littéraires sont mentionnés dans le texte ? En connaissez-vous d'autres ? Vous pouvez trouver les définitions et la liste des autres contraintes sur le site Internet de l'Oulipo.

Les exercices de style

Raymond Queneau (1903-1976) est romancier, poète, dramaturge et co-fondateur du groupe littéraire OULIPO.
Son plus grand succès, *Zazie dans le métro*, a été adapté au cinéma par Louis Malle en 1960.
Il publie en 1947 *Exercices de style*, un de ses ouvrages les plus célèbres. Dans ce livre, une même histoire très simple* est racontée 99 fois, de 99 manières différentes : métaphoriquement, en anagrammes, à l'imparfait, en alexandrins, de manière gastronomique, etc.

Vous aussi, jouez à réécrire votre version de cette histoire avec une contrainte littéraire : en utilisant les comparaisons, en faisant des rimes, en utilisant des mots-valises, en langage familier, en langage soutenu, etc.

* Le narrateur rencontre dans un bus un jeune homme au long cou, portant un chapeau orné d'un ruban. Ce jeune homme se dispute avec un autre voyageur, puis va s'asseoir. Un peu plus tard, le narrateur revoit le même jeune homme devant la gare Saint-Lazare en train de discuter avec un ami qui lui conseille d'ajouter un bouton à son manteau.

Transcriptions audio

- Transcriptions des enregistrements

UNITÉ 1

Piste 1 - Activité 4

1.
Ce matin-là, comme tous les matins, j'étais dans le métro quand j'ai aperçu cette fille...

2.
Elle portait une robe à fleurs, avec des motifs un peu asiatiques, et un gilet bleu. Elle avait aussi un grand porte-document –comme les étudiants en arts plastique– et un sac en bandoulière.

3.
J'ai voulu la suivre mais elle est descendue à Châtelet, en pleine heure de pointe, et je l'ai perdue de vue.

Piste 2 - Activité 5

- Salut Marc ! Ça va ?
- ○ Salut Nadège, ça va super, je viens de voir Salomé ! Elle est en France pour les vacances.
- Elle vit toujours au Mexique ?
- ○ Oui, oui, toujours. Tu savais qu'elle s'était mariée ?
- Non, je savais qu'elle était partie pour un stage d'espagnol il y a trois ans et qu'elle était restée parce qu'elle avait rencontré quelqu'un, mais après j'ai plus eu de nouvelles.
- ○ Eh bien, elle s'est mariée le mois dernier et elle est à Paris avec son mari en voyage de noces ! Quelle histoire, non ?
- Oui, incroyable ! Le Mexique, quelle chance ! On peut dire qu'elle a bien mis à profit son stage linguistique ! Tu te souviens quand j'étais allée au pair à Londres pour apprendre l'anglais ?
- ○ Oui et que tu étais tombée dans une famille française qui ne parlait que français !
- Je crois que, quand je suis rentrée, je parlais encore moins anglais qu'avant mon séjour !!!
- ○ Tu sais… les langues… quand tu en as besoin, ça vient tout seul ! Moi, quand je suis parti au Brésil l'année dernière, j'avais un peu peur : je ne parlais pas un mot de portugais et tu connais mon niveau en anglais ! Eh bien, tu te débrouilles quand il faut ! Et puis, après une semaine sans parler à personne et à manger seulement du riz et des haricots parce que tu ne sais pas demander autre chose, tu trouves le moyen de communiquer un minimum avec les gens ! Un peu d'espagnol, quelques mots de français, beaucoup de mimes ! Et, du coup, je me suis mis au portugais…
- J'aurais bien voulu te voir ! La prochaine fois, on part en voyage ensemble !

Piste 3 - Activité 6B

- Bonjour Monsieur Morin. Bienvenue chez V.O S.A. Je suis Jacques Daliès, chargé du personnel.
- ○ Bonjour Monsieur Daliès, enchanté.
- Tout d'abord, je voulais vous remercier de l'intérêt que vous portez à notre entreprise. D'ailleurs, je voulais savoir comment vous nous avez connus.
- ○ Par l'intermédiaire de votre site Internet, que je consulte régulièrement. Il est très bien fait et il y a beaucoup de ressources pour les traducteurs.
- Très bien. Passons à votre CV. Pouvez-vous me résumer votre parcours ?
- ○ Bien sûr ! J'ai étudié tout d'abord les lettres modernes à la Sorbonne, puis j'ai préparé une licence d'anglais et enfin j'ai passé un master de traduction-interprétation à l'université de la Sorbonne nouvelle à Paris III. J'ai ensuite fait un stage pour l'Union européenne à Bruxelles.
- Hum, hum… Intéressant… Pouvez-vous m'en dire un peu plus sur ce stage ?
- ○ Eh bien, j'étais attaché au service de presse et chargé de traduire les dépêches sélectionnées par les attachés de communication. C'est dans ce cadre que j'ai pu commencer à faire un peu d'interprétation en renfort pour les interprètes officiels lors de petites conférences ou de rencontres. Je n'avais jamais envisagé cet aspect de ma profession – qui est très différent – mais j'ai beaucoup apprécié l'expérience.
- C'est un parcours intéressant, en effet, et qui semble correspondre au profil que nous recherchons. Cependant, vous avez vu dans l'annonce, je pense, que nous avons besoin de quelqu'un de disponible immédiatement, est-ce que c'est votre cas ?
- ○ Bien sûr. Comme je le mentionnais dans ma lettre, depuis la fin de mon stage, je travaille à mon compte comme traducteur indépendant, je suis donc disponible dès que nécessaire.
- Eh bien dans ce cas, M. Morin, vous passez à la phase de sélection suivante. Je vous demanderais de repasser lundi pour un test de traduction. Vous verrez avec ma secrétaire pour l'horaire. Je vous remercie et vous dis à très bientôt.
- ○ Merci beaucoup M. Daliès, à lundi alors !

Piste 4 - Activité 8

- ● La femme française ? C'est celle qui fume, qui boit du vin et qui est toujours passionnée dans les discussions.
- ■ La femme française n'est ni libérée, ni conditionnée. Ça dépend tout à fait de ce qu'elle veut être.
- ○ C'est une façon de marcher, de porter un sac à main, qu'on ne trouve nulle part ailleurs.
- □ 66 ans après le droit de vote, 38 ans après l'égalité des salaires, 27 ans après la loi sur l'égalité de l'emploi, il semblerait que les femmes françaises modernes ont tout obtenu. 82% des femmes de 25 à 49 ans ont un travail. La femme française a en moyenne 2 enfants alors que la moyenne des pays voisins comme l'Allemagne, l'Italie est de 1,5 enfant. 59% des femmes françaises ont un diplôme universitaire. Mais la réalité est-elle aussi brillante qu'elle en a l'air ? Écoutons le témoignage de Clara, 30 ans, et mère de deux enfants.
- ▲ Je suis responsable marketing dans une chaîne de télévision française. Je viens d'avoir mon deuxième enfant et, depuis que je suis retournée au bureau, je sens de grandes pressions de la part de mon supérieur qui, de fait, est une femme. Je ne suis pas un cas isolé. J'ai parlé avec beaucoup de femmes qui vivent la même chose. D'un côté, on reçoit beaucoup d'aides de l'État pour pouvoir continuer à travailler en élevant des enfants, on a de la chance. Mais ce n'est pas facile de combiner vie professionnelle et vie maternelle.

UNITÉ 2

Piste 5 - Activité 4A

Nous sommes à proximité de la rue de Bordeaux, derrière la centrale EDF. Ce lavoir a été construit en 1958. À cette époque, il n'y avait pas d'eau courante dans les cases, il n'y avait pas de toilettes dans les maisons, ni de robinet dans la cuisine et la salle de bain. Donc, au centre de ce quartier, qui s'appelait et qui s'appelle toujours « Quartier de l'épuisement », le maire a fait construire ce lavoir.
La mosquée est située au centre-ville. Devant la porte, il y a beaucoup de chaussures : il faut se déchausser. C'est la plus ancienne mosquée située dans un département français.
Ici, nous entrons dans l'espace sacré nommé Arsha vidya ashram. À l'intérieur, assis sur le sol, un homme explique aux enfants : en Inde, se trouvent des livres sacrés qu'on appelle les « vedas ». En sanskrit, « vedas » veut dire « le savoir ».
Ce cimetière a été créé en 1899 lors d'une épidémie de peste introduite sur l'île par un bateau venant de Chine. On enterrait les morts pas centaine dans une fosse commune.
Pour finir cette visite, la ville de Saint-Denis vous invite au Marché de Nuit. On se laisse guider au gré des fleurs, des senteurs et des lumières ! On y trouve aussi des produits artisanaux fabriqués en Afrique du Sud et à Madagascar.

Piste 6 - Activité 6A

- ● J'avais ce projet de voyager en vélo depuis des années et je cherchais une personne pour m'accompagner quand un ami m'a dit : « Contacte ce gars, il a le même projet que toi ». Je me souviens de la première rencontre avec Stéphane. On s'est quittés avec la certitude que le projet était en route. On a travaillé deux ans chacun de son côté pour économiser et puis on est partis. On a commencé par descendre de la Bretagne jusqu'au Maroc puis la Mauritanie.
- ○ Quel était votre budget ?
- ● On est partis sur une base moyenne de 10 euros par jour. Le plus souvent, on dormait sous la tente ou chez l'habitant. On a été très surpris de la générosité des gens et de l'intérêt qu'ils portaient à notre projet.
- ○ Et qu'est-ce qui vous a le plus manqué ?
- ● Ma famille de temps en temps et parfois un peu de temps pour moi et certains jours un bon repas.
- ○ Quel type d'entraînement avez-vous suivi ?
- ● On n'a pas suivi d'entraînement particulier. On était tous les deux assez sportifs, moi je faisais du foot et du vélo, mais sans plus. Notre préparation s'est faite pendant le voyage. Nous avons commencé doucement et puis, au fur et à mesure, notre corps s'est habitué.
- ○ Quelles étaient les relations entre vous ?
- ● Très tranquilles, très naturelles dès le départ.
- ○ Quels sont vos meilleurs souvenirs ?
- ● Sans aucun doute l'accueil reçu par les habitants de certaines régions, parfois très humbles et si généreux. Un soir, dans un village du Guatemala, on a été hébergés par une famille. On a cuisiné pour eux en échange et puis ils ont voulu nous faire découvrir leur cuisine et on est restés une semaine alors qu'on devait s'arrêter une nuit. On est partis avec la gorge serrée.
- ○ Un mauvais souvenir ?

- Le jour où on s'est fait voler nos vélos, dans une auberge. On s'est réveillés le matin, ils avaient disparu. Ça a été un gros coup pour le moral. On a dû racheter deux vélos et ça n'a pas été facile de retrouver la qualité initiale. Sans compter le trou dans le budget.
- Est-ce que vous êtes prêt à repartir aujourd'hui ?
- Ce serait difficile parce que maintenant j'ai une famille, alors… Ce n'est pas un bon moment. Plus tard, je ne dis pas non. Pourquoi pas en famille.

Piste 7 - Activité 7A

Si tu savais combien je suis heureuse de découvrir l'Océanie !
Si je n'obtenais pas mon visa pour Téhéran cet automne, j'essaierais de partir au printemps prochain.
Si je devais partir pour une année, j'aimerais autant rester en Europe.

UNITÉ 3

Piste 8 - Activité 4C

- Vous voulez bien nous lire un extrait de votre pièce ?
- C'est la scène d'ouverture. Des frères jumeaux sont assis devant une assiette contenant deux parts du gâteau. Une petite et une grosse. Un des jumeaux dit : « Vas-y, sers-toi. » L'autre hésite et prend la plus grosse part. Le premier dit : « Tu exagères. À ta place, moi, j'aurais pris la petite. » L'autre répond : « Tu devrais être content. Tu l'as. »
- Le sujet central de votre pièce c'est l'égoïsme ?
- Pas vraiment, c'est une pièce sur l'enfance, sur la fraternité, sur l'absence de mensonge. Tout le monde a toujours envie de prendre la plus grosse part de gâteau.
- On connaît les difficultés financières que vous avez rencontrées pour monter votre pièce.
- Oui, j'aurais dû être moins exigeant sur les costumes, peut-être. En ce qui concerne les décors, j'aurais pu me satisfaire de moins, mais ils sont très important, aussi importants que les personnages et ils changent tout le temps. Si j'avais su, j'aurais cherché un autre producteur.
- Oui, d'ailleurs on est très surpris de la quantité d'indications scéniques que vous donnez. Tenez, je lis un extrait : « L'espace est petit, en bois, il y a une lanterne pour s'éclairer. Au centre, il y a une petite table carrée, revêtue d'une nappe en tissu vichy et autour de la table, les deux personnages. Sur la table, une assiette, disproportionnée, très grande avec deux parts de gâteau : l'une très grande, l'autre très petite. Derrière la table, du matériel de jardinage, des outils, un casque de vélo, des gants, des chaises longues. »

Piste 9 - Activité 5A

- Julien Lemettre, vous présentez votre dernière pièce au Théâtre du Soleil, parlez-nous un peu de votre personnage.
- C'est un homme qui, pendant des années, mène une double vie, ment à sa famille. Et un jour, il craque.
- Il craque, c'est-à-dire qu'il s'effondre et c'est alors qu'il a ce geste de désespoir.
- Oui. Pour sa famille, il est médecin pour une organisation humanitaire basée à Genève. En réalité, il n'a jamais obtenu son diplôme de médecine et n'a jamais exercé comme médecin. Il a une femme et deux enfants. Son entourage, là, je me réfère à ses amis et ses voisins, dira de lui qu'il était totalement normal en apparence, poli, posé, chaleureux. Il maintient cette apparence, ce mensonge pendant 15 ans, jusqu'à ce jour fatal où il tue toute sa famille et tente de se suicider.
- Personne n'a vu venir le drame. C'est curieux, pourtant : comment a-t-il pu garder ce secret si longtemps ?
- Ça, c'est le plus étonnant. Ses connaissances en médecine sont pointues et actualisées à tel point que son épouse pharmacienne et son ami médecin n'y voient que du feu.
- En tant que médecin, il avait un certain niveau de vie, non. D'où venait l'argent ?
- Assez rapidement, les enquêteurs ont découvert que des membres de la famille lui avaient confié de l'argent pour qu'il le place sur un compte bancaire suisse. Et c'est là que le drame prend sa source car tôt ou tard il allait être découvert. Et il le savait.
- Oui, psychologiquement, ça a dû être difficile. Comment abordez-vous ce personnage ? Le voyez-vous comme un monstre ?
- J'essaie de ne pas le juger. Il s'est mis dans un engrenage de mensonges et il ne s'en est jamais sorti. Je comprends sa faiblesse. La peur de décevoir. Je ne comprends pas son geste assassin.

Piste 10 - Activité 8A

1.
A. Tu n'as pas honte ?
B. Tu n'as pas honte ?

2.
A. Elle n'est pas mal cette voiture.
B. Elle n'est pas mal cette voiture.

3.
A. C'est pas possible.
B. C'est pas possible.

4.
A. Je nage en plein bonheur.
B. Je nage en plein bonheur.

UNITÉ 4

Piste 11- Activité 3A.

1.
● Avec mon fiancé, nous avons eu une discussion sur l'éducation a donner à nos futurs enfants. Nous sommes tous les deux d'accord. Nous avons eu tous deux une mauvaise expérience dans l'école publique.
○ Moi, j'ai eu une bonne expérience dans le public. Et je pense que l'enfant y est confronté à une diversité culturelle qui lui sera très utile dans la vie.

2.
● Le graffiti est une liberté d'expression. Ça décore les murs moches et en mauvais état.
○ Je ne suis pas d'accord. Peindre sur les murs sans demander d'autorisation à ceux qui les possèdent, c'est du vandalisme.

3.
● Un enfant est parfaitement capable de faire la différence entre le virtuel et la réalité. Ces jeux, vous savez, demandent souvent de l'imagination et de la stratégie.
○ Peut-être mais je trouve cette violence malsaine et inutile.

4.
● Il ne manquerait plus qu'on nous oblige à prendre partie ! On est en démocratie oui ou non ? Le vote est un droit, pas une obligation !
○ Le vote blanc, ça existe. Le vote n'est pas seulement un droit, c'est aussi un devoir de citoyen. De nombreuses personnes dans le monde se battent encore pour accéder à ce droit !

Piste 12 - Activité 5A

1.
Euh... Moi je peux pas aller travailler sans voiture, donc heu... C'est pas une bonne idée.

2.
Franchement je ne vois pas vraiment le problème des voitures en centre-ville. Je suis largement pour des rues entièrement piétonnes, dans les rues très commerciales, par exemple. Mais délimiter une zone entière, ça me paraît un peu compliqué pour la circulation en ville qui est déjà difficile la plupart du temps.

3.
Interdire les voiture en centre-ville, c'est faciliter la circulation... Celle des gens, tout simplement. Ça me semble une bonne idée

4.
Je suis pour. Je vis dans le nord de la France et, non loin de chez moi, le centre d'une ville est entièrement piéton. Résultat : l'air est plus pur. Les gens marchent plus de 10 mètres. Les transports, comme le vélo, sont favorisés. Bref, il y a du bon.

5.
Moi, je suis contre... Toutes les personnes malades et âgées ne vont pas prendre les transports en commun... Surtout pas pour faire des courses par exemple... La solution, ce serait des voitures qui ne polluent pas ou bien moins que celles que nous avons...

6.
Avant d'interdire les voitures, qu'ils améliorent radicalement les transports en commun ! On verra après...

7.
Ça dépend de l'utilité d'aller en voiture dans le centre-ville. Si on y habite, c'est impossible d'y échapper. Si on y travaille aussi et que l'on habite de l'autre côté de la ville, je me verrais pas faire 2 heures de transport en commun en commençant à 7 heures 30 du matin.

8.
Je pense qu'on devrait bloquer le droit de passage aux voitures dans le centre-ville dans certaines tranches d'horaires, comme ils le font dans ma ville.

Piste 13 - Activité 6

1. C'est vrai ? Ah ben d'accord, alors !
2. Ah ben d'accord, on aura tout vu !
3. Ah d'accord ! C'est ce qu'on va voir !
4. D'accord. À la semaine prochaine !

Piste 14 - Activité 7B

Alors, les déchets ménagers peuvent être des objets en fin de vie dont on se débarrasse, des emballages, des restes de repas et de matières organiques, ou encore de vieux documents devenus inutiles. Pour se faire une idée, on peut imaginer que le contenu entier d'un supermarché va se retrouver tôt ou tard dans nos poubelles, après l'utilisation des produits par les consommateurs.
Une autre partie de nos déchets s'écoule aussi par les canalisations (produits d'entretien, eaux de vaisselle, eaux usées...) pour se retrouver dans les égouts puis à la mer, après passage dans une station d'épuration.

UNITÉ 5

Piste 15 - Activité 2B

Bonjour, quoi de neuf ?
J'espère que tu vas bien.
Je t'appelle dès que je peux.

Piste 16 - Activité 3A

1.
J'ai eu ton texto mais pas j'ai pu te répondre avant, c'est OK pour ce soir.

2.
Suite à votre courrier, nous prenons note de la résiliation de votre contrat de location. Nous reprendrons contact avec vous pour la remise des clés.

3.
Bien reçu votre carte postale. Nous vous attendons jeudi soir pour dîner. N'oubliez pas les photos !

4.
Mon ordinateur ne marche plus, donc je n'ai pas pu te répondre avant mais tout va bien, ne t'inquiète pas. Je te rappelle bientôt. Bisous.

Piste 17 - Activité 5B

Il s'agit d'un problème avec la location d'un appartement à New York.
Je l'avais trouvé par Internet, n'habitant pas sur place.
La personne avec qui j'étais en contact me demandait d'envoyer l'argent le plus vite possible. Avant de le lui envoyer, je lui ai demandé de me donner des garanties et des précisions sur les modalités de la transaction. Loin de me les donner, elle m'a répondu que je pouvais lui faire entièrement confiance, qu'il n'y avait aucun problème. À nouveau, elle me réclamait au plus vite la somme d'argent. Je ne la lui ai pas envoyée. J'ai commencé à la soupçonner. L'appartement était trop grand et étrangement bon marché. Je le lui ai dit. La réaction a été immédiate: « Il faut m'envoyer l'argent maintenant ! D'autre personnes sont intéressées par cet appartement. Si vous ne me le versez pas sur mon compte cet après-midi, je me verrai dans l'obligation de le leur laisser ». Bien sûr, je ne le lui ai jamais envoyé. Finalement, j'ai tapé son nom sur Google : c'était une arnaque bien connue.

UNITÉ 6

Piste 18 - Activité 1B

1.
Une gentille comédie qui parle de l'enfance, de la famille, inspirée par la vie de Pierre Perret… Voilà, c'est gentil, mais un peu plat. Le petit garçon qui tient le rôle principal est adorable mais franchement, j'ai trouvé ce film ennuyeux…

2.
C'est vraiment un excellent film, tiré d'un livre écrit par un prof, entre fiction et documentaire, on en ressort forcément ému. Et puis les jeunes qui jouent un peu leur propre rôle, ils sont excellents ! Une Palme d'or largement méritée !

3.
C'est l'histoire d'une prof qui pète les plombs, le sujet était intéressant mais le film un peu trop dur à mon goût. Malgré la présence d'Isabelle Adjani, qui est parfaite, ça part trop dans le drame et je trouve que les situations sont un peu exagérées…

4.
Une comédie vraiment très drôle, ça ne fait pas réfléchir mais on passe un très bon moment ! Un remède anti-déprime radical !

5.
Une sorte de *road movie* à l'africaine, c'est original et bien mené, à la fois drôle et émouvant, je le recommande !

Piste 19 - Activité 4A

● Et si on allait au ciné ce soir ?
○ Pourquoi pas ? Bonne idée ! Il y a le dernier *Harry Potter* qui vient de sortir j'ai très envie d'aller le voir !
● Euh… *Harry Potter*… Bof, moi, ça ne me dit rien du tout, tu sais que je n'aime pas trop ce genre de films, c'est pour les ados ! Je n'en ai vu aucun de la série d'ailleurs…
○ Mais pas du tout ! C'est un super divertissement : il y a de l'aventure, de l'action, des effets spéciaux impressionnants, du grand spectacle ! Et puis, tu passes par plein d'émotions différentes : le rire, la peur, l'angoisse… C'est le genre de film qui te fait oublier ta journée et qui te vide bien la tête !
● Oui… Une grosse production à l'américaine pour se vider la tête, c'est sûr que c'est un bon divertissement, mais moi je préférerais voir quelque chose d'un peu plus… je sais pas… de qualité ! Un film sensible, intime, avec de bons acteurs et un scénario solide… et sans effets spéciaux, si possible !
○ Mmm… Un film ennuyeux, quoi !
● Non, pas forcément. Regarde, *Les petits mouchoirs* ! Il a une super critique : « un film sensible, sur l'amour et l'amitié, porté par d'excellents acteurs ». Qu'est-ce que t'en penses, c'est a l'air pas mal non ?
○ Oui, c'est bien ce que je dis : une comédie dramatique à la française… en-nuy-eux !
● Bon, mais moi si c'est pour voir un film qui me vide la tête et ne me fait pas du tout réfléchir, j'aime autant rester à la maison et regarder la télé !
○ Eh ! mais c'est une bonne idée, ça ! On pourrait regarder un DVD ou télécharger un film. Qu'est-ce que tu penses de…

Piste 20 - Activité 7B

Ce film est vraiment génial !
J'ai été bouleversé !
C'est vraiment une histoire incroyable !
Ce film est trop drôle !
Ce réalisateur est excellent !
Moi, j'ai détesté, c'était vraiment nul !

UNITÉ 7

Piste 21 - Activité 2A

● Un quart des femmes françaises de plus de quinze ans consacrent aujourd'hui du temps à une action bénévole. Si les hommes sont plus nombreux – 32% – ils vont plus fréquemment vers les associations sportives ou culturelles. Les femmes, elles, sont plus attirées par l'aide humanitaire ou sociale. C'est ce qui ressort d'une enquête de l'INSEE d'octobre 2010 étudiée par Lionel Grangier, économiste et maître de conférences à l'université de Paris 3.
○ Les femmes répondent un peu plus fréquemment qu'elles s'engagent pour aider les autres, pour être utiles à la société. Les activités socio-éducatives, les activités caritatives, humanitaires et les activités religieuses sont des activités bénévoles où les femmes sont nettement plus

représentées. La plupart d'entre elles s'impliquent dans ce type d'associations, alors que seulement 15 % font partie d'associations culturelles et 10 % se consacrent au sport. Dans le domaine éducatif, ce qui recouvre notamment les associations de parents d'élèves, on peut voir l'inclination plus forte des femmes à s'engager comme en quelque sorte le produit d'une division traditionnelle des tâches au foyer. Les femmes s'occupent davantage que les hommes des enfants non seulement dans le foyer, mais aussi à l'extérieur du foyer.

● Et quelles sont les motivations de ces femmes qui s'engagent ?

○ Alors, ben écoutez, quatre bénévoles sur cinq déclarent plusieurs motivations. Celle qui revient la plus fréquemment, c'est vouloir rendre service, être utile à la société. Alors, en ce qui concerne les femmes, il y a quand même quelques particularités : les femmes déclarent moins souvent être bénévoles pour pratiquer des activités sportives ou culturelles. En revanche, elles déclarent plus souvent que les hommes vouloir rendre service, elles déclarent aussi plus souvent que les hommes vouloir défendre leurs intérêts, les intérêts de leur famille.

Piste 22 - Activité 3B

Plus de 10 000 lecteurs du *Journal du Management* et de *Linternaute Magazine* ont noté une sélection des 50 meilleures idées pour lutter contre le chômage. Selon ce classement, la meilleure idée pour lutter contre le chômage est de faciliter la création d'entreprise, considérée comme le meilleur vecteur pour lutter contre le chômage en France. Autre piste saluée par les lecteurs : la formation ; l'amélioration de l'orientation des étudiants et la transformation des stages en emplois rémunérés arrivant respectivement en deuxième et troisième positions. 48% des personnes interrogées appuient l'idée de créer un portail gratuit d'offres d'emplois sur Internet. Enfin, en fin de ce palmarès, l'aide logistique aux jeunes parents souhaitant reprendre une activité professionnelle en bénéficiant d'une garde d'enfants sur leur lieu de travail.
Encore merci aux lecteurs et internautes qui ont répondu à cette enquête pour leur participation et rendez-vous sur le *Journal du net* pour le reste des résultats.

Piste 23 - Activité 4A

1. Vous êtes satisfait de votre métier ?
2. Pensez-vous que l'école prépare à la vie professionnelle ?
3. J'ai vu les résultats du sondage sur Internet.
4. Tu sais si la secrétaire a téléphoné ?
5. Ce métier est vraiment original !

Piste 24 - Activité 4C

1.
Pouvez-vous répondre à quelques questions ?
Est-ce que vous pouvez répondre à quelques questions ?
Il me demande si je peux répondre à quelques questions.

2.
Exercez-vous cette profession depuis longtemps ?
Depuis combien de temps exercez-vous cette profession ?
Il veut savoir si j'exerce cette profession depuis longtemps.

3.
As-tu vu le dernier sondage sur l'école ?
Est-ce que tu as vu le dernier sondage sur l'école ?
Je te demande si tu as vu le dernier sondage sur l'école.

UNITÉ 8

Piste 25 - Activité 3A

Le gouvernement a promis des mesures d'urgence pour lutter contre les changements climatiques.
L'équipe nationale a connu une défaite cuisante lors de son premier match à l'extérieur.
Ce nouveau livre pour arrêter de fumer garantit des résultats visibles en 3 semaines.
Le dernier film de Danny Boon a battu tous les records d'entrées au cinéma.

Piste 26 - Activité 3C

Les syndicats exigent une réponse rapide du gouvernement sur ce sujet.
Selon les chercheurs, les humains pourraient devenir immortels à partir de 2045.
Un site Internet aurait trouvé la recette secrète de la boisson la plus vendue au monde.

Piste 27 - Activité 7A

Culture et technologie :
Une étude menée par des chercheurs français conclut que les jeux vidéo seraient bons pour la santé : d'après certains psychologues et psychanalystes en effet les jeux vidéo pourraient avoir des effets thérapeutiques sur certains patients. C'est notamment le cas des enfants autistes pour lesquels les jeux vidéo pourraient être une manière de s'ouvrir au monde et d'échanger avec les autres.
Le jury de la 54e édition du World Press Photo, présidé par David Burnett vient d'annoncer les lauréats de l'année. Au total, 56 photographes de 23 nationalités différentes ont été primés dans 9 catégories. Le premier prix est attribué à la photographe sud-africaine Jodi Bieber.
Un iPhone à bas prix pourrait devenir réalité d'ici à quelques mois. Selon des sources anonymes, Apple serait en effet en train de travailler sur un prototype *low cost* afin de reprendre la main face à des concurrents généralement meilleur marché.
Sports maintenant…

Piste 28 - Activité 8A

- Vous qui êtes directrice d'un des plus grands journaux français, Internet est-il selon vous un allié ou un ennemi pour la presse écrite ?
- Nous assistons ces dernières années à la constitution d'un univers en plein développement, qui est utilisé par plus d'1 milliard de personnes dans le monde. Cette nouvelle situation, a pour la presse écrite, deux conséquences importantes : d'abord, la fragmentation des usages, avec l'utilisation par le consommateur d'écrans multiples et nomades ; le deuxième impact, c'est la polarisation. Quand il y a dix ans un même individu pouvait lire jusqu'à quatre hebdomadaires par semaine, il n'en lit plus aujourd'hui qu'un seul, qu'il choisit soigneusement.
- Les habitudes des lecteurs ont donc beaucoup changé ?
- Tout à fait ! Ils sont de plus en plus infidèles et de moins en moins nombreux en raison, là encore, de la généralisation de cette pratique de butinage. Ils sont également plus exigeants car ils ont accès à de nombreuses sources d'informations et peuvent ainsi comparer, contraster, discuter…
- Mais ce sont pourtant les mêmes lecteurs qui lisent la presse sur support papier et sur Internet…
- Pas du tout ! Les statistiques montrent que ce ne sont pas les mêmes personnes qui lisent les journaux papiers et leur version en ligne. D'ailleurs, seuls 15 % des gens utilisent les deux supports à la fois.
- On dit qu'une troisième crise, bien plus profonde encore, menacerait la presse traditionnelle…
- C'est la crise de l'information. Si d'un côté le journalisme d'opinion et de commentaire connaît un développement impressionnant (notamment grâce aux blogs), la collecte de l'information sur le terrain (qui est la base du journalisme traditionnel connaît quant à elle une crise inquiétante : peu à peu, radios, télévisions et journaux réduisent leurs dépenses, rapatrient leurs correspondants, ferment leurs bureaux à l'étranger. Demain, comment se fera la collecte de l'information ?
- N'est-ce pas la question fondamentale ?
- Si, bien sûr : c'est même l'avenir de la démocratie qui est en jeu ! Pour le moment, la presse traditionnelle reste le premier vecteur d'information dans le monde, mais à l'avenir le panorama va être certainement très différent… Quelles vont être les sources d'information de demain ? Quel degré de professionnalisation auront les journalistes ? Quelle crédibilité accorder à l'information trouvée sur le net ?

Piste 29 - Activité 9 B

Selon une enquête menée par le *Journal du Lundi*, la majorité des Français lit au moins un journal par jour. Évidemment, sont comptabilisés les journaux gratuits distribués dans le métro et les transports en commun et le journal sportif l'*Équipe*, qui est le plus vendu en France. Les magazines ont moins de succès et sont généralement lus dans les salles d'attente, chez le médecin ou chez le coiffeur. La plupart des personnes interrogées regardent également le journal télévisé tous les jours et ont pour habitude de commenter les informations du jour avec leurs collègues de travail. C'est le premier sujet de conversation autour de la machine à café ! Quant aux médias francophones, ce sont les grands perdants de cette enquête qui révèlent qu'ils sont encore – à l'exception de TV5 – peu connus du public.

UNITÉ 9

Piste 30 - Activité 4A

Charles Beaudelaire, *Les Fleurs du mal*

Viens, mon beau chat, sur mon cœur amoureux ;
Retiens les griffes de ta patte,
Et laisse-moi plonger dans tes beaux yeux,
Mêlés de métal et d'agate.

Lorsque mes doigts caressent à loisir
Ta tête et ton dos élastique,
Et que ma main s'enivre du plaisir
De palper ton corps électrique,

Je vois ma femme en esprit. Son regard,
Comme le tien, aimable bête,
Profond et froid, coupe et fend comme un dard,

Et, des pieds jusques à la tête,
Un air subtil, un dangereux parfum
Nagent autour de son corps brun.

Piste 31 - Activité 8A

1.

- Salut Manu ! Tu viens ce soir au tournoi de slam ?
- ○ Chais pas… C'est où ?
- Au Cabaret Sauvage, y'a une super affiche : Grand Corps Malade, Pilote le Hot…
- ○ Grand Corps Malade ? Trop bien ! Je kiffe ce mec ! T'as écouté son dernier album ?
- Heu… Non.
- ○ J'te l'passerai, il est génial !
- Cool, merci.

2.

- Tiens Matthieu, je te rends le livre que tu m'avais prêté.
- ○ Tu as aimé ? C'est un recueil de poésie un peu particulier.
- Oui, énormément, c'est un auteur formidable ! Je souhaite découvrir ses autres œuvres à présent.
- ○ Je suis ravi que tu l'aies apprécié. Si tu veux, j'ai d'autres ouvrages que je peux te laisser. Il faut absolument que tu lises ses poèmes en prose !
- Ce serait avec plaisir.

Version Originale • Méthode de Français

Cahier d'exercices • Niveau 3

Auteur
Laetitia Pancrazi
Stéphanie Templier
Révision pédagogique
Philippe Liria et Lucile Lacan
Coordination éditoriale et rédaction
Lucile Lacan
Correction
Sarah Billecocq
Documentation
Lucile Lacan
Enregistrements
Coordination : Lucile Lacan
Conception graphique et couverture
Besada+Cukar
Mise en page
T. G. Soler
Remerciements
Nous tenons à remercier toutes les personnes qui ont contribué par leurs conseils et leurs révisions à la réalisation de ce manuel, notamment Katia Coppola et Gema Ballesteros.

© Photographies, images et textes.
Couverture Lyuba Dimitrova LADA film, Ferenc Szelepcsenyi/Fotolia.com, benjamin py/Fotolia.com, foxytoul/Fotolia.com, Lucile Lacan, heysues23/Fotolia.com, lophie/Fotolia.com, Lucile Lacan, Photosani/Fotolia.com, Lyuba Dimitrova LADA Films, Garcia Ortega, yang yu/Fotolia.com, Garcia Ortega, Lucile Lacan, auremar/Fotolia.com, Giuseppe Porzani - Fotolia.com ; **Unité 1** p. 9 bodo011/Fotolia.com, lst1984/Fotolia.com, Jason Stitt/Fotolia.com ; p. 10 Yuri Arcurs/Fotolia.com ; p. 11 Tomasz Trojanowski - Fotolia.com ; p.12 Pemotret/Dreamstime.com ; p. 13 Yorick Liefting/Fotolia.com, Yuri Arcurs/Fotolia.com ; **Unité 2** p. 15 Lucile Lacan ; TomFrank/Fotolia.com ; p.18 Lucile Lacan ; p.19 aves/Fotolia.com ; p.21 David Mathieu/Fotolia.com ; p. 22 Babelweb ; **Unité 3** p. 23 Ingram Publishing ; p. 25 Sashkin/Fotolia.com ; p. 26 photlook/Fotolia.com ; p. 28 © asaflow - Fotolia.com **Unité 4** p. 36 Sylvain Bouquet/Fotolia.com ; Jackin/Fotolia.com ; p. 38 Aurélien Lange/Fotolia.com **Unité 5** p. 40 difusion, Fotolia365/Fotolia.com, Dalia Drulia/Fotolia.com, p. 41 Pere Virgili **Unité 6** p. 47 Alex Kalmbach/Fotolia.com ; p. 51 jaddingt/Fotolia.com ; p. 53 bradjon/Fotolia.com, sfmthd/Fotolia.com, Difusion, Oleg Kozlov/Fotolia.com, yknups/Fotolia.com ; p. 54 babelweb ; **Unité8** LwRedStorm/Fotolia.com **Unité 9** p. 74 Goran Bogicevic/Fotolia.com ; p. 76 CenturionStudio.it/Fotolia.com ; p. 78 cienpiesnf/Fotolia.com ; **Culture** p. 80 Stas Perov/Fotolia.com, Unclesam/Fotolia.com ; p. 81 Christophe Boisson/Fotolia.com, Jean-FrançoisMillet Des glaneuses. ; Oscar García Ortega ; Fred/Fotolia.com ; p. 83 christemo/Fotolia.com ; p. 84 Raymond Queneau, Exercices de style, collection « Folio »

ISBN édition internationale : 978-84-8443-567-9
Dépôt légal : B-26582-2012
Réimpression : février 2016
Imprimé dans l'UE

www.emdl.fr